Depuis la fenêtre de mes cinq ans

DE LA MÊME AUTEURE

Aussi vrai qu'il y a du soleil derrière les nuages, essai biographique, Libre Expression, 1982.

Les Filles de Caleb, roman
tome 1 : *Le Chant du coq*, Québec/Amérique, 1985 ; édition revue et corrigée, avec des illustrations de Gilles Archambault, Libre Expression, 1995 ; nouvelle édition, Libre Expression, 2003 ;
tome 2 : *Le Cri de l'oie blanche*, Québec/Amérique, 1986 ; édition revue et corrigée, avec des illustrations de Gilles Archambault, Libre Expression, 1997 ; nouvelle édition, Libre Expression, 2003.

Ces enfants d'ailleurs, roman, tome 1 : *Même les oiseaux se sont tus*, Libre Expression, 1992 ; collection « Zénith », Libre Expression, 2003 ; tome 2 : *L'Envol des tourterelles*, Libre Expression, 1994 ; collection « Zénith », Libre Expression, 2003.

J'aurais voulu vous dire William, roman, Libre Expression, 1998.

Tout là-bas, roman, Libre Expression, 2003.

Les Filles de Caleb, roman, tome 3 : *L'Abandon de la mésange*, Libre Expression, 2003.

Arlette Cousture

Depuis la fenêtre de mes cinq ans

Une compagnie de Quebecor Media

Catalogage avant publication de Bibliothèque et Archives nationales du Québec et Bibliothèque et Archives Canada

Cousture, Arlette

Depuis la fenêtre de mes cinq ans
ISBN 978-2-7648-0436-0
I. Titre.

PS8555.O829D46 2008 C843'.54 C2008-941621-X
PS9555.O829D46 2008

Édition : André Bastien
Révision linguistique : Dominique Issenhuth
Correction d'épreuves : Françoise Côté
Couverture : Marike Paradis
Grille graphique intérieure : Louise Durocher
Mise en pages : Mélanie Huberdeau
Photo de l'auteure : Jacques Migneault

Bien qu'inspiré de personnes et de faits réels, ce texte est une œuvre de fiction.

Remerciements
Les Éditions Libre Expression reconnaissent l'aide financière du gouvernement du Canada par l'entremise du Programme d'aide au développement de l'industrie de l'édition (PADIÉ) pour ses activités d'édition. Nous remercions le Conseil des Arts du Canada et la Société de développement des entreprises culturelles du Québec (SODEC) du soutien accordé à notre programme de publication. Gouvernement du Québec – Programme de crédit d'impôt pour l'édition de livres – gestion SODEC.

Les Éditions Libre Expression
Groupe Librex inc.
Une compagnie de Quebecor Media
La Tourelle
1055, boul. René-Lévesque Est
Bureau 800
Montréal (Québec) H2L 4S5
Tél. : 514 849-5259
Téléc. : 514 849-1388

Dépôt légal – Bibliothèque et Archives nationales du Québec
et Bibliothèque et Archives Canada, 2008

ISBN 978-2-7648-0436-0

Distribution au Canada
Messageries ADP
2315, rue de la Province
Longueuil (Québec) J4G 1G4
Téléphone : 450 640-1234
Sans frais : 1 800 771-3022

Diffusion hors Canada
Interforum

Pour toutes ces petites filles de cinq ans, devenues grandes ou encore petites, qui ont donné et donnent toujours un sens à ma vie. Katia, Fannie, Marika, Marilou, Oriane, Aurélie, Mia, Adélaïde, Sandrine, Lucie, Kiana, Talia et Simone. Ainsi que pour Blanche, Lyse, Michelle, Andrée, Marie, Suzanne et Claude.

1953–1954

Le printemps

J'aurai 5 ans dans sept dodos. J'aime la pluie, mais les fleurs elles, non. Hier, les crocus jaunes se doraient la bedaine au soleil. Aujourd'hui ils ont le ventre fermé. Le trottoir de la maison est glissant, je le sais. Je vois le facteur marcher. Des fois, il marche comme un soldat qui frappe le trottoir avec son talon. Des fois, il se traîne un peu les pieds parce que son sac est plein. D'habitude, il marche pas comme aujourd'hui. Comme Mrs. Horn, qui fait des petits pas de vieille madame parce qu'elle a peur de tomber. Je sais qu'elle a peur de tomber. Elle tient toujours Mr. Horn par le bras.

Quand le facteur a ses caoutchoucs pour la pluie, il marche pas du talon. Ça salirait son beau pantalon de facteur. Avec ses caoutchoucs, il se traîne les pieds à côté des flaques. Comme ce matin. Quand il pleut pour la peine, il a des caoutchoucs et un imperméable. Moi, je vois que l'imperméable dégoutte sur ses jambes en avant et en arrière. Mme le facteur doit dire « tssst tssst tssst, tu pourrais pas faire attention, monsieur le facteur ? » En tout cas, c'est ce que maman dirait à papa s'il arrivait avec le pantalon tout mouillé. Ça arrivera jamais.

Mon papa porte pas d'imperméable de facteur. Mon papa porte un parapluie noir de monsieur à chapeau de monsieur. De monsieur à cravate de monsieur. Mon papa est un monsieur à cravate, chapeau et parapluie.

En été, le facteur a une sorte de casquette. En hiver, il a un beau chapeau rempli de fourrure. Quand il fait très très froid, sous le zéro, il baisse les oreilles de chien du chapeau sur ses oreilles à lui. Un chapeau de monsieur a pas de belles oreilles comme ça.

Aujourd'hui, le facteur a un capuchon sur sa casquette parce qu'il pleut beaucoup. Il attend d'être sous le balcon pour ouvrir son sac et sortir le courrier. Moi, j'aime bien dire sortir les « lettres ». Maman dit qu'il faut dire le « courrier » parce qu'il y a toutes sortes de choses dans le sac : des lettres, oui, mais des dépliants, des annonces et plein d'autres choses encore.

Tiens, il s'arrête. Il souffle l'eau qui tombe de ses lunettes, fouille dans son sac et sort des lettres. C'est un courrier de lettres rien d'autre. Je sais que mes parents vont être contents. Il y a une enveloppe bleue avec des lignes rouges sur le bord. Ça veut dire qu'elle est arrivée en avion cette enveloppe-là. Je le sais. Le papier est tellement mince qu'on voit presque des doigts à travers. Maman appelle ça du papier oignon. Une fois, je l'ai vue pleurer quand elle en a lu une. J'ai pensé que c'était à cause du papier. C'était pas ça. C'était une très bonne nouvelle ; elle pleurait de bonheur. Je sais pas ce que ça veut dire, pleurer de bonheur. Quand je pleure, je pleure.

Aujourd'hui le téléphone a pas sonné. Quand il pleut, d'habitude, je vais jouer avec mon amie de pluie, Luce. Elle a un cœur si petit qu'il a pas eu le temps de grandir en même temps qu'elle. Le docteur médecin a dit à sa maman que son cœur est, comme dans la chanson, « petit, tout petit, tout petit, petit »... Je dessinerai pas chez elle aujourd'hui. Je jouerai pas aux cartes, pas au tic-tac-toe, pas aux dés, pas aux bâtonnets qui bougent tout le temps quand on s'énerve. Non, je reste devant ma fenêtre à attendre le temps et son heure.

Luce est mon amie la plus belle. Elle ressemble aux petites filles dans les livres de petites filles. Elle est jolie comme une princesse. Quand elle va être grande, un prince charmant va venir la chercher sur son cheval blanc, c'est certain.

À cause de son cœur petit, tout petit, petit, elle peut pas courir, ni sauter, ni même se balancer sur une balançoire qui bouge. Le docteur médecin a été très très sévère. Elle le voit souvent le docteur médecin. Elle dit qu'il a jamais de bonnes nouvelles. Quand elle parle du docteur médecin, ses yeux sont verts sérieux. Aussitôt qu'on s'amuse, ils sont verts joyeux. Ses longs cils roux frisés se mettent à battre. Des vraies ailes de papillon. Elle et moi, on s'amuse devant une page à colorier, ou un bébé poupée à changer et à bercer, pas trop fort. Aujourd'hui, je la verrai pas. S'il pleut un autre jour cette semaine, peut-être que je la verrai.

J'entends le clac qui dit que la boîte aux lettres est fermée. J'ai envie de crier pour le dire à maman, mais ça donnerait rien. Elle fait le lavage dans la cave en écoutant la radio. Je peux pas aller chercher les lettres moi-même parce que je suis pas encore assez grande.

Quand je sors pour jouer, je suis prisonnière du dehors à cause de mon pouce. Il est pas assez fort pour ouvrir la poignée de la porte quand je veux rentrer. Je suis trop petite encore pour rejoindre le bouton de la sonnette et la boîte aux lettres. Dans deux mains de longueur, je serai capable. Il faudra que j'aie 8 ans à peu près, ou 9 ans.

Le facteur est reparti. Il y a eu un coup de vent si effrayant que notre arbre lui a envoyé plein d'eau sur la tête. Une branche est tombée en même temps et j'ai même pas vu le vent l'arracher. On a un érable que toute la famille, moi aussi, on a mis en terre. Il a mon âge et il est pas mal plus grand que moi. Ça fait longtemps qu'il a dépassé la boîte aux lettres, lui.

Un arbre de 5 ans est assez grand pour supporter plein d'oiseaux. Il peut même cacher un nid et toute une famille. Ça fait deux jours, depuis samedi, que les oiseaux bruns et orange sont arrivés. Ils ont choisi notre arbre ! Notre arbre à nous qu'on a planté pour que la terre se souvienne de nous. C'est ce qu'a dit papa.

Je suis contente qu'il pleuve parce que je peux rester toute la journée devant ma fenêtre. Je vois ce qui se passe dans la rue et autour des branches de l'arbre qui ont pas encore toutes leurs feuilles. Maman m'a dit que les oiseaux bruns et orange s'appellent « merles ». Quand ils auront fini de faire leur nid, les feuilles se dépêcheront de le cacher pour protéger les bébés oiseaux. Les arbres et les oiseaux, c'est les grands amis du jardin. Les vers de terre et les oiseaux, non. Pas du tout amis. En tout cas, pas amis des merles. Les merles sautent, hop, hop, hop, tournent la tête pour écouter et regarder, puis donnent un coup de bec direct dans le gazon et tirent un énorme ver de terre qui passait par là. J'ai pas peur des vers. Tout à l'heure, quand il va arrêter de pleuvoir, ceux qui auront désobéi et qui seront pas rentrés assez vite dans leur trou vont mourir noyés. Je le sais, c'est toujours pareil. C'est mes parents qui me l'ont fait remarquer. Ils me le font remarquer chaque fois qu'on fait une promenade après une bonne pluie. On va sentir comme la terre sent bon quand elle a pris une bonne douche. Si le soleil arrive après une bonne pluie et que les vers ont bretté, ils se font cuire sur le trottoir. On dirait des petites branches brunes.

Ah ! Notre voisine passe devant la maison. Elle est tout habillée belle. Ça veut dire qu'il est dix heures et demie. Elle va prendre le tramway de onze heures plus ou moins, moins vingt. Je sais pas bien lire l'heure, surtout les moins, mais je connais ses heures à elle, par cœur. Je l'ai entendue le dire. Aujourd'hui elle tient son parapluie tout droit. C'est que la pluie arrive de par en haut. Dru. Ça veut dire qu'il pleut bergère. Pleuvoir bergère, ça veut dire qu'il pleut tellement fort qu'il faut rentrer les blancs moutons. Ici il y a plus de moutons depuis la crèche du Jésus, je crois. Je suis pas sûre. Ce qui fait qu'au lieu du bâton de la bergère pour se retenir, il faut bien se tenir à son parapluie. C'est ça que ça veut dire. La voisine est une bonne teneuse de parapluie. Je pense qu'en plus c'est parce qu'elle aime pas se faire mouiller les cheveux. Elle le tient tout près de sa tête et, une fois de temps en temps, elle le lève, regarde vite vite et c'est fini. Elle voit combien il lui reste de pas à faire pour se rendre à la clôture blanche du voisin, puis pour se rendre au coin de la rue. Aussitôt qu'elle passe la clôture, je peux plus la voir. Si mon voisin de gauche enlevait sa clôture, je pourrais voir le tramway, mais son gros chien jaune viendrait me mordre. J'aime mieux qu'il laisse sa clôture. Je vois le tramway quand je vais jouer avec mes amies, ou que je vais poster une lettre, ou que je vais à l'épicerie, ou que je vais attendre mes voisins pour leur vendre de la limonade. Le mieux, c'est quand je prends le tramway moi-même avec maman.

Haaan… Ça doit bien faire beaucoup de temps que j'ai vu personne dans la rue. J'ai entendu le tramway même si, quand il pleut, les rails crient moins. Je le dis pas mais, le soir, j'ai un peu peur quand je l'entends crier. Des fois, en même temps qu'il crie il fait un éclair de colère sur le fil. Tchtacatchatatchac ! Je sais pas pourquoi il se choque, mais il se choque. Comme les dragons de la nuit qui sortent des placards. Je veux pas trop y penser parce que je crois presque plus aux monstres. J'aime mieux les éclairs de ciel que les éclairs de fil de tramway, c'est tout.

Enfin quelqu'un. Le gros papa anglais qui crie toujours. Moi j'aurais peur si j'avais un papa qui crie comme lui. Il crie tout le temps. Je comprends pas tous les mots qu'il dit mais ce qu'il dit, ça doit ressembler à « viens ici, tout de suite, que je dis, tout de suite ». *Ire ! Now !* Je comprends à cause de ses gestes. Ou bien « quand je dis non, c'est que c'est non ! *No ! Dame ! Ite !* ».

Une fois, je faisais la promenade de santé de mon bébé. Je l'ai vu arracher la balle des mains de son fils ! Vlang. Il l'a lancée, lui-même, le papa, à travers la fenêtre de son salon. Je me souviens de ses mots, parce que c'était facile à dire : « *Dame date balle !* » Mes parents m'ont dit de pas répéter cette histoire-là. Que ça faisait pitié. Que c'était bien dommage de pas savoir se contrôler. Peut-être que je vais comprendre quand j'aurai 10 ou 12 ans, que pas de contrôle ça fait pitié. C'était dommage pour la maman. Elle a fait le ménage à cause de la vitre. Elle a attendu toute seule le poseur de vitres. Le gros papa était parti dans sa voiture peut-être pour lui acheter des diachylons. Le fils maigrichon était dans sa chambre en pénitence, ça c'est sûr.

Tiens, il crie encore, le papa. Je pense qu'il appelle quelqu'un. Je sais pas si maman voudrait que je l'aide. Non, elle voudrait pas. Elle veut qu'on aide, oui, qu'on rende service, oui, mais peut-être pas un jour de pluie.

Le gros papa anglais qui crie tout le temps a une grosse fille, qui s'appelle Linda, et un garçon qui est si maigre que je pense qu'il doit avaler à l'envers. Son nom c'est William. C'est des noms anglais. Je l'ai jamais vu marcher, lui, le papa. Jamais. Oui, je l'ai vu marcher de sa porte de maison à sa voiture ou de sa voiture à sa maison. Jamais vu marcher sur le trottoir. Il marche vite pour quelqu'un qui marche jamais. J'ai pas remarqué avant aujourd'hui que son ventre puis ses fesses bougeaient tout le temps. Booing… Booing… On dirait que sa peau est pas bien accrochée.

Oh… Il appelle quelqu'un, c'est sûr. Peut-être qu'il joue à la cachette. Mais, non, même les Anglais jouent pas à la cachette quand il pleut. Bon, il s'en va chez lui. C'est moins drôle. Il y a plus personne à regarder. Booing… Booing…

Oh ! Le merle a ramassé une petite, petite branche, longue, longue. Moi, je vois qu'elle est encore accrochée après un arbuste ! Le merle le savait pas et il s'est envolé. Quand il était rendu haut comme ça, plus haut que moi, plus haut que trois pommes, l'oiseau a presque failli tomber. C'était très très drôle parce qu'il s'est pas fait mal. J'aurais pas ri s'il s'était fait mal, quand même.

Je vois où il fait son nid. Il faudrait pas que les bébés regardent en bas. Ils vont avoir peur. C'est beaucoup trop haut pour des bébés, ça.

Bientôt je vais entendre la sirène de la Waterman et maman, elle, dans le sous-sol, le signal sonore de Radio-Canada. Je le sais par cœur. « Au commencement du trait prolongé, il sera exactement midi, heure avancée de l'Est. » Ça, c'est parce que c'est le printemps. Et ça va faire in- in-in -in -in -in IIIIIIIIIIIINNNNNNNN en même temps que la sirène de la Waterman va « sirèner » ! Je le sais que c'est midi parce que maman m'a dit, l'index en l'air, ce qui veut dire que j'ai avantage à écouter : « Quand tu entends la sirène de la Waterman, tu rentres à la maison. Immédiatement. En courant. Sans perdre une minute. C'est l'heure de manger. » Pas besoin de me le dire deux fois. Moi, je pense aux vers de terre. J'ai pas envie de me noyer. J'ai pas envie de sécher non plus. Ça me suffit.

Comme aujourd'hui je suis déjà dans la maison, je vais simplement dans la cuisine. Je vais demander : « Qu'est-ce qu'on mange ? » Je le sais déjà un peu. C'est lundi et hier on a mangé du jambon, on va manger du jambon et ce soir, s'il en reste encore, du jambon. J'aime ça, le jambon, mais pas ma grande sœur. Elle aime ça le midi, mais pas le soir. C'est compliqué. Le midi, elle fait ce qu'elle veut avec son jambon. Le soir, elle peut pas. Maman est moins sévère que papa avec le jambon.

« Mange ton jambon.

— Je le mange, mais j'aime pas le gras. »

Elle se fait disputer. Moi, je dis rien. Les papas se fâchent plus vite le soir que le matin. J'espère que la grosse Linda mange tout son jambon pour pas que son papa patapouf booing se fâche.

J'ai deux sœurs. Pour le moment j'en ai pas parce qu'elles sont au couvent. Des fois, j'aime ça. Des fois, j'aime pas ça. Des fois, je me souviens plus à quoi elles ressemblent. Je les ai pas vues depuis Noël.

Tiens, le papa patapouf booing vient de passer en voiture, la fenêtre toute grande ouverte. Là, c'est sûr et certain, il crie à tue-tête. Il ressemble à un papa qui cherche. Une fois, le papa de Conrad, mon petit voisin qui habite par là et qui est zinzin, pensait l'avoir perdu ! Je dis zinzin même si maman aime mieux « simple d'esprit ». Je trouve ça trop long. Son papa avait cet air-là dans sa figure quand il cherchait Conrad. Finalement, Conrad s'était endormi dans la voiture en jouant. Tout le monde avait eu très très peur.

J'ai trois zinzins dans ma rue, une madame très vieille qui a au moins 30 ans et qui a l'air choqué avec sa bouche fermée par en avant. Elle a toujours un chapeau, avec une plume en été, ou une tuque de laine avec une plume d'hiver. Conrad est zinzin et il a 8 ans, et Louis est un zinzin toujours couché. Lui, il a 3 ou 4 ans. Je le sais qu'il est toujours couché, parce que sa mère lui fait prendre le soleil sur la galerie en été et même des fois en hiver. Il y a un Anglais qui est pas zinzin. Il a beaucoup de mal à marcher parce qu'il a eu la polio. Il a toujours des bottines brunes qui tiennent comme toutes les bottines avec des lacets. Sauf que les siennes ont des grosses barres de métal qui passent direct dans les talons. Ça doit être lourd. Et ses mains vont n'importe comment.

Je parle jamais d'eux, dans la maison, parce que j'ai pas la permission de dire zinzin. Maman dit que Conrad et Louis, celui qui est toujours couché, sont «simples d'esprit». Quand elle parle de celui qui a eu la polio, elle dit «malheureux». Que sa mère est malheureuse, que son père est malheureux. Maman dit même: «Eh! que c'est malheureux d'avoir un seul enfant et de le voir si taxé.» Avec mes amis on dit zinzin. Des fois je joue avec Conrad. Des fois ça m'énerve quand il se met à sauter en battant des bras. On peut pas faire de vrais jeux avec lui parce qu'il comprend pas les règlements. On peut pas jouer à la cachette parce qu'il sait pas compter, puis il sait pas ce que ça veut dire se cacher. On peut pas jouer aux cartes. J'aime pas trop jouer avec lui. Je le fais pour faire plaisir à sa mère. Je le fais surtout parce que sa sœur, c'est mon amie et qu'on joue à trois. J'aime quand même pas trop ça. J'ai pas trop de plaisir, moi, quand je joue avec lui. On lui explique vingt fois la même chose, puis il comprend rien. En tout cas, j'ai bien appris qu'on aide les zinzins et qu'on rit jamais, jamais d'eux. Mais j'ai quand même pas trop de plaisir avec les zinzins. On est pas des enfants pareils.

Ah, je comprends ! Le papa patapouf booing qui crie tout le temps vient de repasser en auto. Dans l'auto il y a son petit chien chien aux oreilles comme celles du chapeau du facteur. Moi, je vois qu'il sourit, le petit chien chien. Peut-être qu'il sourit parce qu'il lui a fait une belle frousse au papa qui crie. Peut-être parce qu'il s'était égaré et qu'on l'a retrouvé. Il sourit peut-être parce qu'il rentre pas à pied sous la pluie. Il a pas d'autre raison de sourire. Oui. Peut-être que le papa a cessé de crier.

J'entends la sirène de la Waterman ! Maman monte l'escalier, sa radio sous le bras.

« Qu'est-ce qu'on mange ?

— De la soupe, du jambon avec du concombre, du céleri et des radis. » Je le savais.

Maman me fait encore faire un somme de bébé. J'ai 5 ans et elle me fait faire une sieste de bébé. Heureusement que je vois la mer qui brille sur mon mur de chambre. Sur la mer, moi, je vois un voilier blanc. Je vois des nuages qui sentent tous les parfums du ciel. Il y a mon ami le capitaine, que je suis la seule à connaître. Je ferme les yeux, j'entends la pluie gratter à ma fenêtre. Je pense qu'elle veut rentrer dans ma chambre pour plonger dans l'eau de mer de mon mur. Je tourne la tête et mon voilier disparaît, pareil aux images de mon kaléidoscope.

* * *

Papa est sorti de la maison sans le savoir. Moi, je riais beaucoup beaucoup en me pinçant le nez. Je suis montée sur mon canapé, à genoux comme toujours, le menton posé sur mes mains. Je riais encore en voyant le poisson épinglé au bord de son manteau. Il sautillait à chacun des pas de papa. Puis j'ai vu les Gosselin pointer le poisson et rire à tue-tête. Rire de mon père ! Papa les a entendus, s'est retourné, a soulevé son chapeau et leur a souhaité une bonne journée. J'ai cessé de rire. Jusqu'à ce que quelqu'un lui dise que je lui avais joué un bon tour pour le 1er avril, tout le monde rirait de mon père ! Mon père est un papa bien élevé et il va leur sourire et dire bonjour du chapeau. Oh ! non, je vois encore quelqu'un pointer le poisson.

Je saute en bas de mon divan et cours vers la porte. Trop petite ! « Maman, viens vite m'ouvrir la porte. Il faut que j'aille repêcher le poisson. » Maman comprend pas. Elle me répète que mon poisson est beau.

Je pose ma tête sur mes mains. Je veux pas que maman voie que je pleure. À cause de moi, on va rire de mon papa. Le 1er avril est le jour des méchants ! Je jouerai plus jamais de tours. Jamais.

C'est bientôt Pâques et ma fête. Comme je suis encore petite, j'ai pas été forcée de me priver de gâteries. Je vais le faire jeudi, vendredi et samedi pour faire plaisir au Jésus de la crèche qui est rendu assez grand pour être mort. J'aime pas vraiment les sucreries sauf les oreilles de crisse qui sont pas sucrées de la cabane à sucre et les oreilles de lapin en chocolat. Il y a juste que mes parents m'ont emmenée avec eux à l'église aujourd'hui et j'ai pas aimé. J'aime pas vraiment l'église parce que ça tousse. Il y a que les prières en lapin que j'aime parce que c'est chantant. Je sais, je sais, c'est en latin, une vieille langue morte, jamais ressuscitée, elle. J'aime dire en lapin parce que c'est le temps de Pâques. Parce que les vieilles madames qui sentent la boule à mites et le bonbon à la menthe trouvent que c'est très très drôle. « En lapin ! Quel charmant mot d'enfant ! » J'en ai d'autres, des mots charmants que je sais par cœur. Maman me jette un regard noir et je les dis pas. Maman a les yeux bleu ciel d'habitude et quand ils deviennent noirs, c'est parce qu'il y a de l'orage à l'horizon. Comme au-dessus du fleuve qu'on voit de chez mon amie.

Depuis que nous sommes rentrés, je m'amuse avec le rameau qui sent bon le rameau frais, devant ma fenêtre en attendant le repas. Le nid est de plus en plus caché. Je pense que la maman oiseau reste à la maison pour faire le ménage. Je les vois plus faire la valse autour de l'arbre et ses branches.

J'aime pas trop les dimanches à ma fenêtre. Le plus intéressant, c'est de voir sortir les protestants de leur église qui est de l'autre côté de la rue, presque juste devant ma maison. Je suis jamais entrée dans cette église-là parce que c'est pas la bonne sorte. Pour pouvoir entrer dans une église, il faut un clocher pointu et un horaire de messe. Il faut aussi voir un mot qui a les lettres t-h-o. Quand je vois les lettres t-h-o – je connais toutes mes lettres même si je vais pas encore à l'école –, je sais que c'est la bonne sorte d'église.

Une fois j'ai rôdé autour de l'église d'en face. C'est pas vrai, cinq fois au moins que j'ai rôdé. Toujours le dimanche. J'ai regardé par la fenêtre du sous-sol et, tous les dimanches, dans ce sous-sol-là, il y a plein d'enfants ! C'est vrai. Ils gigotent pas en haut avec leurs parents à bayer aux corneilles, eux. Ils sont dans le sous-sol à dessiner et à parler pendant que leurs parents chantent à tue-tête des chants d'église pour pas les entendre. La dernière fois, il y a un petit garçon qui m'a vue et qui a dit: «*Hé louk !*»

J'ai couru à toute vitesse, j'ai traversé la rue sans regarder, j'ai frappé et frappé sur la poignée de la porte pour qu'on m'ouvre. J'ai grimpé sur mon divan pour voir si quelqu'un viendrait raconter à ma mère que j'avais fouiné dans la fenêtre de la mauvaise sorte d'église. Que j'avais traversé la rue sans regarder. Personne est venu. Fiou...

Depuis ma fenêtre je vois pas une grande différence entre les gens qui sortent de l'église d'en face et les gens qui sortent de celle où on va prier et voir la mode. La grande différence est que notre prêtre dit «eh, t'as mis sa veste» en chantant un peu. Ensuite, il va se cacher pour se déshabiller. Le ministre d'en face – lui, c'est pas un prêtre – sort tout habillé pour dire «*baille tanks*». Aujourd'hui il sort par la porte du côté. C'est celle qui donne dans le sous-sol où s'amusent les enfants. C'est pas souvent que je l'ai vu faire ça. Il doit y avoir quelque chose de spécial, mais je sais pas ce que c'est.

Ah, non! J'ai échappé mon rameau derrière le *chesterfield*. J'espère que ça va pas boucher l'aspirateur. Le repas est prêt et je dois passer à table. C'est dommage. Les enfants de l'église viennent de sortir en portant des ballons de couleur. Même en plein carême, on dirait qu'ils ont la permission de s'amuser.

* * *

Ce matin, il y a quatre carottes qui sont passées en courant pour se rendre à l'école. Je pense qu'elles étaient en retard, les carottes. J'ai déjà vu leur école «H-i-g-h S-c-h-o-o-l» en allant acheter de la crème glacée avec papa. Elle est très très loin d'ici leur école. Je crois que c'est au moins deux milles. La nôtre, en tout cas l'école des filles, est à deux coins de rue. Celle des garçons, peut-être aussi loin que l'école des carottes, mais en partant de l'autre côté. Moi si j'étais une fille carotte, je trouverais pas ça juste que mon école A-c-a-d-é-m-i-e soit aussi proche. J'ai entendu dire qu'en plus de l'école, les carottes ont un terrain de baseball et un terrain de football et un terrain de piste et pelouse–ça, je ne sais pas du tout ce que ça veut dire. C'est ce qu'on dit. En tout cas, ils ont toutes sortes de terrains, et l'école de ceux qui parlent pas anglais en a pas. Tous ces terrains-là donnent sur un terrain de golf en plus ! J'ai entendu dire que leurs écoles sont tellement pas catholiques qu'ils mélangent les garçons et les filles dans les mêmes classes.

L'an prochain, je vais commencer l'école et une sainte chance du bon Dieu, il y aura que des filles dans ma classe. J'en connais déjà au moins cinq. Je dis très bien « une sainte chance du bon Dieu » parce que je copie la mère de Mireille qui croit tellement à la sainte chance du bon Dieu que plus personne veut jouer aux cartes avec elle.

De toute façon, les carottes viennent de passer en courant. Je les aime pas toutes, les carottes. La fille, la grande carotte, qui a au moins un an de plus que moi, est gentille et elle comprend le français ! Ça, il faudra qu'on m'explique. Comment est-ce qu'on peut avoir une famille anglaise et comprendre le français ? Une famille française qui comprend l'anglais, c'est comme la mienne. Mais une famille anglaise qui comprend le français... Peut-être que la grande carotte le parle aussi... Je vais me méfier. Ses frères sont tous des carottes sauf un qui serait plutôt une patate brune. Elle en a quatre, des frères ! Et une petite sœur carotte que j'appelle la petite carotte pâle. Comment est-ce qu'on fait pour regarder par la fenêtre quand on est six enfants ?

Mon amie Luce est une carotte elle aussi, mais pas une carotte de la couleur des citrouilles de l'Halloween. Elle est une carotte frisée avec toutes les couleurs du feu dans les cheveux. Les carottes anglaises ont les yeux bleus. Mon amie Luce a les beaux yeux verts d'une princesse. À cause de ça, on dit qu'elle est rouquine. Ses taches dans le visage sont comme des petites étoiles collées sur ses joues et son bout de nez. Peut-être même sur son ventre, mais ça je peux pas savoir parce que je l'ai jamais vue en costume de bain. À cause de son cœur petit, tout petit, petit, elle peut pas se baigner non plus.

* * *

Pas de fenêtre aujourd'hui, c'est dimanche et c'est Pâques. L'opéra de papa va occuper tout le salon, le plancher, le mur, les fauteuils et tout l'air. Papa va s'asseoir dans son fauteuil préféré, allonger les jambes, enlever ses lunettes et chantonner, la bouche fermée. Moi je pense qu'il dort et qu'il écoute pas.

Comme je peux jouer avec mes amis qui ont presque tous des visiteurs du dimanche, je sors mon carrosse et ma poupée. Je vais à gauche jusqu'au boulevard où je joue à attendre le tramway. Je fais comme si j'en descendais et je repasse devant la maison pour me rendre jusqu'à la rue suivante de l'autre côté. Je sais compter. Il y a vingt et une maisons. Il y a les maisons des gens gentils, ceux qui me parlent même si je suis petite. Les maisons des Anglais qui me parlent pas du tout. Les maisons des

Anglais qui me parlent en faisant des sourires et des gestes, et qui parlent à ma poupée. Les autres maisons : les maisons des zinzins, la maison du ministre protestant, la maison des carottes, la maison des gros booing, la maison des malheureux de malchance, la maison des beaux vieux, Mr. et Mrs. Horn, la maison des oiseaux jaunes, et toutes les autres maisons, je les connais aussi, je vous prie de me croire. Il y a la nôtre, évidemment, et celle de nos voisins d'en face. Ils sont des grands-parents pas toujours drôles parce que des fois ils me font peur avec des histoires à faire peur. Des fois ils rient de moi, c'est vrai. Une fois que j'étais dans leur cuisine, j'ai remarqué un pot accroché sur le mur.

« C'est du sucre ou du sel ?

— Goûte », que le grand-papa a répondu en me donnant une cuiller. C'était du sel ! Il a bien ri. Moi pas. Comme j'ai pas de grands-parents, je fais un peu semblant que c'est eux.

Il y a aussi la maison de nos voisins serviables qui m'ouvrent la porte et me servent du Ginger Ale, interdit dans ma maison ! J'ai aussi des chips Humpty Dumpty. Comment ça se fait qu'ils mangent des chips et boivent du Ginger Ale en plein carême, eux ? Je pense pas que c'est une bonne idée de le demander à mes parents.

Mon dimanche de Pâques ressemble presque à une journée de semaine. En attendant qu'on parte manger le jambon de Pâques chez ma tante, maman m'a donné la permission de sortir sans bottes !

Aujourd'hui, il y a presque plus de neige sale sur les terrains. Ça veut dire que c'est le vrai printemps qui sent la terre. Si je regarde bien, je vais trouver des cents sur le trottoir ! Quand la neige et la glace en peuvent plus du froid et qu'elles disparaissent, elles laissent traîner des cents pour nous, les petits. C'est parce qu'on a les yeux assez proches pour les voir.

En promenant mon bébé, je fais semblant d'être une bonne maman. Quand je pousse le landau, je regarde sans cesse à la limite des pelouses, là où on trouve les cents. Mes semelles font cric cric sur le sable pas trop bien balayé. Je traîne un peu les pieds pour ralentir et mieux chercher ! Là ! Devant moi, devant la maison du ministre protestant, un cinq cents que je reconnais tout de suite parce que c'est un rond raboteux. Je le ramasse vite, vite comme si j'étais une petite voleuse. C'est la nouvelle reine du Canada. D'un côté, son petit ruban est déjà sali par la neige. De l'autre côté, le même vieux castor à la queue en pneu est presque pas sale. Un beau cinq cents à moi. Je le place dans mon sac à main de madame et je continue ma recherche. J'ai jamais compris pourquoi, mais quand on trouve un sou, il y en a d'autres tout près. C'est exactement ce qui m'arrive. Un autre cinq cents. Cette fois, c'est le roi, le père mort de la reine. Juste à côté, des pièces de un cent et… et… un vingt-cinq cents ! Un gros vingt-cinq cents !

J'ai frappé sur la clenche de la porte pendant les applaudissements et pas pendant qu'un chanteur chantait. Tant mieux. Je suis rentrée à la course sans apporter mon bébé que j'ai laissé dormir au soleil. « Combien ? Combien est-ce que j'ai trouvé de cents ? » que j'ai demandé. Maman riait en m'annonçant que j'avais trente-sept cents ! Papa, lui, m'a demandé d'où venait tout cet argent. « Dans le gazon devant chez le ministre protestant. » J'aurais pas dû dire ça. Vingt et une portes, et il a fallu que je trouve l'argent un dimanche devant celle du ministre protestant. Mon père m'a forcée à réfléchir. C'était triste de réfléchir à ça. On a pensé que ça pouvait être l'argent de la charité des paroissiens. Moi, je disais que ça pouvait aussi venir du sac de la fée des dents. « Le ruban du chapeau de la reine était très très sale. » Quand j'ai vu les yeux de papa, j'ai pleuré.

Maman s'en est pas mêlée, mais il me semble qu'elle souriait plus beaucoup. J'ai expliqué à ma poupée que les pauvres auraient plus besoin de ces trente-sept cents que moi. Je la tenais serrée dans mes bras en appuyant sur la sonnette. Papa a parlé en anglais et moi, j'ai pleuré en français. « *Tank iou* », qu'il m'a dit le ministre protestant en me donnant un Kleenex. Je me suis mouchée en pensant que c'était pas juste. Papa m'avait demandé de réfléchir comme si j'avais l'âge de raison. Je l'ai même pas encore eu, moi, la visite de la fée des dents tellement j'ai pas l'âge de raison. C'est certain que c'était ses sous à elle. C'est certain.

Les ananas sur le jambon de Pâques de ma tante étaient brûlés. Même si je les ai pas mangés, tout goûtait le brûlé. Ça m'a donné une bonne raison de faire la capricieuse. J'ai juste mangé du dessert et papa était fâché. Moi aussi, j'étais encore fâchée. La prochaine fois que je trouve des sous, je les cache. Maman m'a appris Pâques fleuries, Pâques closes. Dans ma tête, moi je dis : Pâques fâchées !

* * *

Les merles ont crié si fort que toute la famille est devant ma fenêtre avant même que le réveil se réveille. Moi, je les ai pas entendus. C'est la poignée de la porte de chambre de mes parents que j'ai entendue. Je me suis précipitée vers mon fauteuil avant même d'être complètement réveillée. J'ai vu mes merles tourner autour de l'arbre en plongeant vers la terre. Comme les avions dans les films. Tacatacatac… Maman me dit qu'un bébé est tombé du nid. Je le savais. Trop haut qu'il est, le nid. Je les ai regardés faire et j'ai trouvé que c'était bien triste. Il faut qu'on m'explique pourquoi il y a des papas et des mamans, comme les chats, les chiens, les oiseaux, qui ont pas de bras pour bercer leurs bébés. La maman oiseau avait pas de bras pour prendre son bébé et le remettre dans le nid.

« Et comment il va remonter, le bébé, s'il peut pas voler ?

— Il ne remontera pas.

— Pourquoi est-ce que tu le grimpes pas avec une échelle ?

— Parce que ça ne se fait pas.

— Pourquoi est-ce que ça se fait pas ? Pauvre petit oiseau qui a très très peur.

— Va te recoucher. »

Nous sommes pas les seuls à avoir été réveillés par l'énervement des oiseaux. Il y a un chat qui vient d'arriver par la ruelle et qui habite dans je sais pas quelle maison. Je demande à mes parents de lui faire peur. Ils disent non. Il faut laisser faire la nature, qu'ils me répondent. Je comprends pas. Les oiseaux appellent leurs amis au secours et ils sont maintenant au moins cinq ou dix. Je peux pas les compter. Peut-être qu'il y en a juste trois et que je compte tout le temps les mêmes. Ils volent très très vite. Ils veulent faire peur au chat. Le chat s'occupe même pas d'eux en se dirigeant au pied de l'arbre. Leurs amis ont pas de bras non plus. Mes parents, oui. Encore une fois, ils refusent d'aider nos voisins les oiseaux. Mais ce sont les oiseaux de notre arbre !

Mes parents préparent le déjeuner tandis que je surveille la triste histoire du jardin. Trois fois ils me demandent de venir manger. Trois fois je bouge pas. Le chat, lui, a sauté. Je le vois courir, l'aile du bébé lui sort de la bouche. Les parents oiseaux le suivent en criant encore plus fort. Pour quoi faire ? que je me dis. Ils ont même pas de bras pour le soigner. Ma mère vient me chercher. Je descends de mon fauteuil pour retourner me coucher. Je sais pas comment avaler avec une boule dans la gorge.

J'ai oublié de parler du jour de ma fête. Ça a été un jour pas drôle du tout. J'ai dû rester couchée toute la journée parce que j'ai vomi toute la nuit. J'ai même pas mangé mon gâteau avant deux jours plus tard. J'ai pas pu avoir une vraie fête de 5 ans. C'est pas trop grave.

À cause de l'oiseau et du chat, le matin a si mal commencé que j'ai en plus eu du mal à m'habiller. Je suis pas de meilleure humeur que le matin de ma fête. Je veux pas mettre ma salopette sur laquelle maman a brodé « 4 ans » ! J'ai pas 4 ans maintenant ! Alors maman m'enfile un pantalon à carreaux. Et à partir d'aujourd'hui, je veux plus porter mes bottines de bébé. Maman perd patience et je cours me réfugier dans mon fauteuil. Une chance que je suis arrivée devant ma fenêtre.

Elle est là ! La petite fille pauvre qui tire sa voiturette pour aller chercher à manger au couvent. Des fois, je lui parle, surtout quand elle revient. Sa voiturette est lourde de nourriture qui ressemble à rien de ce que je connais. Maman fait pas de la nourriture de sœurs, toujours brune. Brune la soupe, brune la viande, brune la sauce. Les sœurs ont juste une recette qui sent mauvais.

Quand je lui demande : « C'est quoi ? » à la petite fille pauvre, des fois elle me dit du gruau, du poulet, des fois du bœuf, du poisson ou du n'importe quoi. Vu d'en haut, c'est toujours pareil. Peut-être que dans la bouche c'est différent, mais pour mon nez et mes yeux, c'est pareil. Maman dit toujours que je suis pas difficile à table. À ma table, peut-être pas. Mais à la table de la petite fille pauvre, je le serais. Ça, c'est sûr.

Je la vois ce matin qui se dirige vers le couvent. C'est pas normal. Elle m'a déjà dit qu'elle venait toujours en après-midi. C'est plus payant, qu'elle m'a dit. Il y a les restes du souper de la veille, du déjeuner et ceux du dîner. En après-midi, elle a trois repas. Là, elle en aura deux. C'est pas normal.

Vite mes bottines que je puisse aller la voir. Tout à l'heure, j'irai l'attendre et peut-être, avec un peu de chance, tirer la voiturette. Maman a bien voulu m'enfiler les bottines sans trop regimber.

« Tiens, tu as changé d'idée ?

— Non. »

À 5 ans on aime les chaussures de cuir *patent* sept jours par semaine et pas seulement le dimanche. Je sais que mes chaussures de cuir *patent* courent aussi vite que mes bottines parce que je les ai essayées en cachette, dans la ruelle.

J'ai couru si vite que j'ai rejoint la petite fille pauvre. Elle était trop pressée pour parler et « non merci », elle avait pas besoin de mon aide pour tirer la voiturette. La prochaine fois. Aujourd'hui elle se dépêche parce que sa mère est malade et a rien à manger. Elle souhaite qu'il reste encore du gruau. Et elle m'a plaquée là ! Je suis rentrée à la maison la tête pleine de questions. Est-ce qu'elle m'avait dit qu'elle avait pas le temps de jouer ? Qu'elle s'amusait pas en tirant la voiturette ? Que sa mère avait rien à manger? Rien à manger... Comment est-ce que ça se peut, rien avoir à manger. J'ai grimpé sur les chaises et regardé dans les armoires de la cuisine. Non. Il y avait pas de rien, chez-moi. Il y avait de tout. Il faudra que maman m'explique ce que ça veut dire «rien avoir à manger», je comprends pas ça du tout. Même pendant le carême, on avait de tout.

* * *

Le plus beau jour du mois de Marie est celui de l'anniversaire de ma grande amie Marianne. Cette année sa maman, sa maman qui a les cheveux longs, noirs et toujours dépeignés, a décidé de lui préparer une grande fête. Si elle a les cheveux noirs, c'est parce qu'elle peut avoir des bébés. Ma mère à moi a les cheveux gris et c'est pour ça qu'après moi, elle a plus jamais eu de bébés. C'est ce qu'elle m'a expliqué.

Les fêtes que sa maman organise sont des fêtes avec des flûtes et des chapeaux et du gâteau au glaçage à la noix. On peut le manger avec ses doigts. Ma maman prépare du gâteau au glaçage à la merin-gue – c'est difficile à dire – et on doit le manger avec la petite fourchette. Les deux sont bons et on se tache bien avec les deux. Rendu là, c'est pareil.

C'était hier, la fête de Marianne, dans son jardin. Ça s'est très très mal passé. Il y avait ses trois petites sœurs – moi j'en ai pas. La dernière est un vrai bébé qui marche pas encore bien. Il y avait ses cousines – moi j'en ai pas qui habitent à Montréal. Il y avait son voisin qui a sa maison dans la cave de la maison de Marianne – moi j'en ai pas, de maison dans ma maison. Et il y avait d'autres personnes.

Ça a un peu mal commencé parce que la cour de Marianne est juste derrière la cour de mon amie Luce. On passe par la ruelle et on est chez Luce. À cause de son cœur petit, tout petit, petit, Luce peut pas vraiment aller dans les fêtes d'enfants. Elle peut pas venir à cause des jeux qui sont des jeux qui sautent et qui courent. C'est la maman de Marianne qui me l'a expliqué. C'est aussi simple que ça. Mais Luce avait son chapeau et sa flûte, quand même. Je l'ai vue assise toute seule dans son jardin et je me suis sentie mauvaise amie. Je lui ai dit bonjour. Je lui ai promis d'aller la voir dès qu'il pleuvrait. Je comprends pas ce qui s'est passé dans mon ventre juste entre mon cœur et mon nombril. J'avais pas faim, mais ça me faisait un vide. Un creux vide.

J'avais plus trop trop de plaisir sous le chapeau de carton. On a joué à la queue d'âne et j'ai triché. Je voulais que ça finisse vite. La maman de Marianne nous fait toujours tourner trois tours et ça m'étourdit. Je dirais que tout le monde a triché. L'âne a eu trois queues l'une par-dessus l'autre. Ensuite on a joué à la pince à linge dans la bouteille de lait. C'est moi qui ai gagné. J'ai toujours été bonne à ce jeu-là. Non, j'ai toujours eu de la chance à ce jeu-là. J'ai pas la permission de dire que je suis bonne. J'ai pas la permission de dire que je suis belle non plus. Que je suis la meilleure en quelque chose même quand c'est vrai. J'ai pas la permission de le penser. Si je le pense, il faut que j'y repense le soir en faisant mes prières qui sont même pas encore des vraies prières. Moi, le soir, c'est à mon bateau et à mon capitaine que je raconte ma journée.

Aujourd'hui, j'ai pas besoin d'attendre le soir pour repenser à ma journée. Je suis revenue de la fête avant tout le monde. À cette fête-là, on a plus pleuré que ri. Il y a le petit voisin qui reste dans le sous-sol qui a fait peur à tout le monde. Il a fait des colères tellement terribles qu'on a cessé de jouer pour se cacher. Il a couru devant Marianne, lui a levé la jupe et lui a mordu le nombril ! C'est vrai. Je dis nombril pour la première fois de ma vie. C'est Marianne qui me l'a appris. Moi j'ai toujours parlé de mon ombilic. Maman m'a dit, quand je suis rentrée, que les deux mots sont bons. Pourquoi deux mots pour un seul petit trou ?

Le voisin lui a mordu le nombril. Une bonne mordée. Marianne, qui crie jamais, a crié. Sa mère est arrivée en courant et en criant elle aussi. Elle, elle crie toujours, sa maman, tout le temps. Elle crie drôle « ahahaaaaah ! nonnonnoooon ! » ou elle crie choquée « ah ! mémémé ! ».

Elle a pris le petit garçon qui a pas encore 4 ans par le bras. Le petit garçon l'a mordue elle aussi. Elle a dit « ah ! mémémé, petit garnement » ou « petit vaurien ». Je me souviens plus… J'avais déjà trop peur. Elle s'est dirigée vers la porte du sous-sol pour le rendre à sa mère, mais sa mère était pas là. Moi j'étais certaine qu'elle s'était cachée sous le lit. Non. Elle était allée s'acheter des cigarettes ! La maman de Marianne était pas contente du tout, du tout : « Je suis pas là pour garder votre petit diable », qu'elle a dit. Là, c'est « diable » qu'elle a dit, je m'en souviens bien. La fête chantait plus trop trop.

Pour nous redonner du plaisir, la maman de Marianne a décidé qu'on ouvrirait les cadeaux tout de suite. Marianne a reçu un tricycle avec une chaîne. Je rêve d'en avoir un depuis avant le dernier Noël. Tout le monde est parti devant la maison pour l'essayer. Marianne a pas voulu le prêter encore. On était assez grands pour comprendre, qu'elle disait. On a pris des rendez-vous. Je devais revenir, pas le lendemain, mais le lendemain d'après. Ses sœurs allaient l'essayer en premier le lendemain, évidemment. Sa maman, qui est une maman beaucoup occupée, a vu que le tricycle réussissait pas à nous calmer. Elle a servi le goûter dans le jardin. J'ai couru vers la table avec les autres. Luce au cœur petit, tout petit, petit, nous regardait par-dessus la clôture, le chapeau tombé sur le côté. Je me suis arrêtée net en la voyant. J'ai encore eu le vide entre le cœur et le nombril.

« Mémémé ! Qu'est-ce que c'est que ce fil qui court dans toute la cour ? » C'est vrai qu'à travers la cour il y avait un tout petit fil blanc qui sautillait depuis un bout de tuyau jusqu'à... ma chaussette toute neuve ou ce qui en restait !

Non, personne m'avait mordu l'ombilic et oui, j'avais très faim. Je suis quand même rentrée à la maison en courant, sans avoir mangé, mon vide entre le cœur et le nombril. J'ai grimpé sur mon fauteuil en regardant le ciel. J'espérais voir des nuages de pluie... Pas un seul. Même pas un petit ricaneur blanc.

J'ai vu le soleil se coucher sur la mer de mon bateau. J'ai raconté à mon ami le capitaine que la fête de Marianne avait pas été plus amusante que la mienne. Je lui ai parlé de mon amie de pluie que je ferais embarquer avec lui si elle était pas obligée de sauter ou de courir ou de grimper dans les cordages. Le capitaine m'a dit que c'était pas très possible sur un bateau. Il m'a demandé à quoi elle ressemblait, mon amie de pluie. J'ai réfléchi et j'ai répondu qu'elle ressemblait sûrement au petit mousse qui chantait sur le grand mât de sa corvette.

* * *

« C'est la Fête-Dieu, que m'a dit papa. L'an prochain, on ira ensemble. » Maman est restée avec moi tandis que papa est allé marcher derrière une cage dorée sur roulettes, remplie de prêtres habillés en chic et tous de la même couleur. Comme c'est pas des soldats qui marchent en chantant, on appelle ça une pro-ces-sion. C'est une procession et c'est pour ça qu'il y a un seul char allégorique. La cage des prêtres. Il y en a un qui porte à bout de bras une grosse fleur de métal. Je sais que c'est pas une fleur, mais presque, tant ça ressemble à un tournesol.

La Fête-Dieu, c'est la parade des gens qui prient catholique. Ils marchent depuis l'église. Elle est presque finie, la parade, parce qu'ils ont assez marché et vont se reposer au re-po-soir. C'est à une rue, et tout le monde va passer devant ma maison et ma fenêtre. Maman est sortie et s'est placée devant moi. Elle s'est même mise à genoux. C'est pas tout à fait normal, ça. Ça doit lui faire très très mal au genou droit. Il a une grosse varice bleue dessus qui ressemble à un petit coussin gonflé. Maman a ouvert la fenêtre pour que je puisse entendre. Il y a rien à entendre de plus que ce qu'on entend à l'église, des prières, du chant en latin, du monde qui tousse.

Oh ! la la ! Les carottes sont sur le trottoir et elles suivent en riant, en criant et en grimaçant. Les gens de la parade les regardent pas. Même les petits regardent pas ! Les carottes sont même pas drôles. Leur papa arrive direct devant mon trottoir. Il est pas de bonne humeur du tout. Je me baisse dans mon fauteuil pour me cacher au cas où. Le gros papa patapouf booing et le papa des carottes me font un peu peur. Maman entre rapidement dans la maison et fait comme si elle avait pas remarqué le papa des carottes. Je sais qu'elle l'a vu.

Il perd sa patience ! Je le vois arracher une première carotte par l'oreille et il lui donne une tape derrière la tête. Elle est si forte, la tape, que la carotte est partie en courant à sa maison. La deuxième carotte, je dis carotte, mais c'était la patate brune, a reçu une tape directement sur la joue. J'ai jamais vu ça, une tape comme celle-là. Flac ! de la main du papa sur la belle joue ronde de sa patate. Là, j'ai entendu un « oh » et un « hon ». Personne avait regardé les bêtises des enfants carottes. Maintenant, la parade venait de presque s'arrêter pour regarder leur papa. Devant tout le monde, sans même être gêné, il a donné un coup de pied à la troisième carotte, là où on voit les clowns le faire. Moi, j'ai peur des clowns. Je pense pas que le papa des carottes voulait faire rire. J'ai pas bien compris ce qui se passait.

« Il les a chicanés à cause du tournesol et des prieurs, le papa ? Est-ce que c'était mal ? »

Maman avait mis son chapeau de paille de Pâques et tenait le mien dans ses mains.

« C'est dans la manière, c'est tout. Veux-tu te dépêcher ! En passant par la ruelle, on va arriver au reposoir en même temps que tout le monde.

— J'ai pas besoin de me reposer, je suis même pas fatiguée. J'ai pas envie de marcher comme ça, moi, quand je serai à l'école. »

On est sorties par la ruelle, en arrière de la maison. Je sais pas pourquoi, maman s'est trompée de chemin et on s'est retrouvées devant le magasin de crème glacée.

L’été

J'ai 5 ans, pas encore et demi. J'aime l'été et les pluies chaudes. J'aime les rayons de soleil qui s'accrochent aux feuilles des arbres. J'aime les arcs-en-ciel qui me font courir les yeux jusque de l'autre côté du monde.

Aujourd'hui, l'été a exagéré. Il me promet trop de plaisir en une seule journée! Marianne et mes amies m'ont pas crue. Dans ma cour, derrière ma maison, attaché à un piquet, il y a un mouton! Un vrai qui fait bêêêêê, non, mêêêêê. Je peux pas le regarder depuis ma fenêtre, mais c'est encore mieux, je me suis assise tout près, tout près de lui, mais loin de ses cacas. Je peux le flatter tant que je veux! Je lui ai donné deux bouteilles de lait avec une grosse suce en caoutchouc! Toute seule. Comme à un bébé, un vrai. C'est que c'est un agneau-mouton de laine qui est tout beau. Il est dans ma cour pour le défilé de la Saint-Jean-Baptiste. On le garde ici. Jusqu'à ce que mon agneau-mouton de laine arrive ici hier soir, je dormais plus, parce que j'étais très très excitée. Mes sœurs revenaient du couvent pour l'été! Même mon ami le capitaine, celui qui est sur mon bateau de chambre et que je suis la seule à voir et à connaître, réussissait pas à m'endormir. Maintenant que l'agneau-mouton de laine est dans ma cour, je veux plus aller à la gare. Je veux les attendre ici, mes sœurs. Avec mon nouvel ami de vraie laine qui pique pas.

Maman est partie les chercher, mes sœurs, il y a au moins une semaine. Papa, le voisin serviable et moi, on les attend à la gare centrale, à Montréal.

Le voisin serviable est avec nous parce qu'il a bien hâte de les voir et aussi que nous avons pas de voiture. Le voisin serviable est gentil de nous conduire partout. Il est comme ça notre voisin, très très serviable. J'ai fait le bébé lala 2 ans, j'ai pleuré et boudé, j'ai pas tapé du pied, mais presque. Je voulais pas venir, je voulais rester avec mon agneau-mouton de laine, même si j'ai pas vu maman depuis une semaine et mes sœurs depuis la neige. Je sais que je vais les reconnaître, c'est sûr, peut-être.

Nous, les enfants, on est faits pour grandir. Ma salopette de 4 ans me faisait bien quand j'avais 4 ans. Comme je voulais plus la porter parce que j'ai plus 4 ans, maman a brodé « + 1 = 5 ». Maintenant je la mets pour jouer. J'ai remarqué qu'on voit de plus en plus mes bottines. Maman m'a dit que j'ai dû grandir encore.

Le retour de mes sœurs m'inquiète un peu. Je cesse pas de me mettre martel en tête – c'est une nouvelle ex-pres-sion que m'a apprise maman – à cause de mes fichues bottines. Quand on a 5 ans, on peut porter autre chose. En plus, elles sont brunes et sales. C'est pas joli avec mes robes d'été, blanches, jaunes et propres. J'ai vu quelque chose qui ressemble à des sandales de petite fille de 5 ans chez le marchand de chaussures. J'espère que maman les a remarquées. Pour le revenir de mes sœurs, je voulais être jolie comme l'été, avec ma robe fleurie à bretelles croisées.

J'ai même pas fini de penser à mon agneau-mouton de laine qui s'ennuie dans la cour, à mes sandales peut-être et à mes sœurs qui arrivent. Même pas fini de penser à tout ça. Les voilà qui sont là avec maman. Elles prennent toute la place dans les bras de papa. Toute la place dans les bras du voisin. Je sais pas trop comment me trouver un petit coin pour moi aussi. Mes sœurs sont aussi grandes que des madames ! Elles sont tellement grandes que je me demande si elles sont encore mes sœurs. Peut-être qu'elles sont devenues des sortes de marraines ou de tantes.

Nous portons tous un sac et une valise, et nous remplissons le coffre de la belle voiture rouge et noir du voisin. Je suis assise au centre devant, maman et mes sœurs à l'arrière. Ça placote, ça placote. J'en ai mal à la tête. Je comprends rien à ce que racontent mes sœurs. Elles parlent de notes et de punitions. Elles parlent de filles et de garçons. Elles parlent de religieuses et de démons.

J'essaie de parler de mon agneau-mouton de laine. Personne entend. Non, personne écoute. Ça parle en français et ça parle en anglais ! Je suis plus dans la même famille. Ça me fait très très peur. Mes sœurs disent *mom* et *dad*. Moi, je dis maman et papa. Quand elles éclatent de rire, je sais absolument pas si c'est de l'anglais ou du français.

Enfin arrivés ! Je cours à toute vitesse voir mon agneau-mouton de laine. Catastrophe ! On l'a volé ! Il reste juste le piquet. Même la corde est partie. Mêêêêê ! Mêêêêê ! Je le cherche partout. Derrière les arbustes et les bosquets. Je l'appelle partout aussi : « mêêêêê ».

« Calme-toi, Charlotte. Ils sont venus le chercher.

— Le chercher ?

— Pour le défilé de la Saint-Jean, tout à l'heure.

— Mais sa bouteille de lait ? Mais moi ?

— Il y a d'autres personnes avec lui.

— C'est pas pareil, c'est pas moi. C'est moi qu'il connaît, l'agneau-mouton de laine. »

C'est vrai que j'ai hâte de voir les cahiers et les livres de mes sœurs. C'est vrai aussi que j'ai pas envie de voir leurs cahiers et leurs livres. Je sais que je comprendrai rien de toute façon. Sauf pour les dessins. Je connais pas encore tous les mots en français, même si j'en connais au moins vingt. Les mots en anglais pleins de W, deux fois V, et de H, ça me fait peur. Je les vois tous les jours sur le journal de papa.

Je grimpe sur mon fauteuil. Tant pis. Une chance pour moi, il sent la même chose que quand je suis partie. Tout est pareil, sauf que j'entends plus de

« mêêêêê » dans la cour. Tout est pareil, sauf que ça parle beaucoup dans mon silence. Tout est pareil, sauf que ça chante en anglais des chansons de couvent anglais. Tout est pareil, sauf que je me demande si l'été va passer vite ou pas. Je me souviens plus quand mes sœurs doivent repartir. J'espère que c'est bientôt. Il faudra qu'on m'explique pourquoi j'ai encore le vide entre mon cœur et mon nombril. Ça devrait pas. Ma maison est pleine de ma famille.

* * *

Toute la ville est au village. Papa et maman sont fiers de leurs trois filles. Mes sœurs me tiennent par la main. C'est pas trop pire d'être une petite sœur. Tout le monde nous arrête pour nous parler. J'ai déjà changé d'idée. Maintenant j'ai envie de découper le calendrier en zillions de morceaux. Ça va être impossible de le recoller. J'ai changé d'idée. Je veux perdre la date de leur train pour le couvent.

Le défilé de la Saint-Jean est presque terminé quand arrive mon agneau-mouton de laine. Je suis certaine qu'il va me reconnaître. Il a vécu dans ma cour pendant presque deux jours. Je lui ai donné sa bouteille de lait. Je l'ai flatté. J'ai mis ses cacas dans la poubelle.

Il paraît qu'on a tenté de me réveiller et que j'ai dit que je voulais dormir. Il paraît que je me serais débattue pour pas être transportée dans mon lit. Il paraît que j'ai souri quand maman a posé une couverture sur moi, même si c'était le soir de la Saint-Jean. Je me suis réveillée quand j'ai entendu le dessus de la boîte aux lettres retomber sur *Le Devoir*. J'avais tout manqué. Le feu de la Saint-Jean en plein champ, le gros bûcher si gros que les pompiers avaient sorti leur camion pour être prêts au cas où. Et j'ai manqué les feux d'artifice, une vraie pluie de magie.

Mais moi, quand j'ai vu mon agneau-mouton de laine sur le char allé-go-ri-que collé collé sur François Patenaude qui se prenait pour saint Jean-Baptiste et que sa mère, c'est sûr, avait frisé encore plus avec des bigoudis. Moi, quand j'ai vu que mon agneau-mouton de laine m'a même pas regardée, même quand j'ai couru à côté du char en l'appelant et que tout le monde s'est mis à crier : « Attention à la petite Charlotte ! Attention aux roues du tracteur ! » Moi, quand Charley, le grand à lunettes noires aux cheveux blonds frisés, m'a prise par la taille pour me jucher sur ses épaules, moi j'avais fini de m'amuser. Je voulais ma maison et mon fauteuil. Mêêêêê...

* * *

Oh non ! Pas encore elles ! Je suis descendue à toute vitesse de mon fauteuil pour aller me cacher dans la dépense. J'ai entendu maman leur ouvrir la porte et leur parler poliment comme elle sait le faire quand elle veut aller au ciel. Je les avais vues l'an dernier après la Saint-Jean. Comme j'étais curieuse, j'avais tenu compagnie à maman. J'aurais pas dû.

Maman est venue me sortir de ma cachette. C'était pas les mêmes sœurs que j'avais connues, mais elles étaient habillées pareil.

« Oh ! La belle petite fille dont on nous a parlé ! A-t-elle fait sa première communion ?

— Vous pouvez me parler à moi. Je suis pas sourde.

— Et pas muette non plus. Hihihi ! »

Moi, il y a ma tante Térésa qui peut rire en hihihi ! Il y a que dans sa bouche que c'est joli comme le rire d'une souris dans mes livres ou dans une comptine. Dans la bouche de la sœur missionnaire, ça fait comme dans une bouche de sorcière.

« As-tu fait ta première communion ?

— Pas encore parce que j'ai pas encore l'âge de perdre mes dents.

— Mais tu es grande ! Et je parie que tu cours très vite et que tu marches comme une fille de 10 ans au moins.

— Plus que tout ça. Je peux marcher jusqu'à la crème glacée qui est plus loin que l'école des carottes qui parlent anglais. »

Maintenant, toutes les trois se mettent la main devant la bouche. Et me voilà dans la rue à faire du porte-à-porte avec les sœurs pour avoir de l'argent pour les missions. Je veux mourir. J'ai jamais de ma vie, je vous jure, vu un nègre tout nu et pauvre. Ceux que j'ai vus étaient beaux avec leurs habits bleu marine et leurs casquettes rouges ou marine. Je les ai vus à la gare centrale et ils étaient pas assis en dessous d'un palmier ni dans une hutte de terre ou de paille.

Je les écoute, les sœurs missionnaires, répéter la même histoire à chaque porte. J'ai compris qu'il faut que je sourie et que je dise bonjour parce que je connais presque tout le monde. En tout cas, dans ma rue et dans les rues toutes proches aussi. C'est que nous, les enfants, on va au terrain de jeu en été, à la bibliothèque et à l'église tout le temps. On se connaît à cause de ça. Ça fait que, quand une maman ouvre la porte, elle dit bonjour et elle me demande : « Mais qu'est-ce que tu fais avec les sœurs missionnaires, Charlotte ? »

Je réponds :

« Je les aide à trouver des sous pour habiller les petits nègres qui sont tout nus dans leurs huttes de paille.

— Ah bon ?

— Comme ça, quand ils seront grands, ils vont pouvoir travailler pour le CNR. »

Des fois je dis autre chose ou je répète à peu près la chanson que je connais.

« Je les aide à trouver des sous pour rendre au petit négro sa Guadeloupe et sa savane et son petit coin de bananier. Il l'a quitté à regret sur une chaloupe, vous savez ? Le pays si joli de sa Guadeloupe. »

Dans ma tête j'entends « zimboumbaaa ». Bon, je pense que je dis pas les bonnes choses. Les sœurs se cachent la bouche chaque fois, les mamans aussi d'ailleurs. Elles vont chercher pas des sous, des dollars ! Je les ai vus. Je sais pas pourquoi les sœurs font comme si elles savaient pas par cœur ce que j'allais dire. Moi, je sais par cœur ce qu'elles vont dire. Je leur ai même appris la chanson ! Chaque fois, quand même, elles se cachent la bouche comme si je les avais surprises. Et elles disent : « Oh ! Non, ah ! Les enfants... » Quand elles font ça, j'ai une autre sorte de grand vide entre mon cœur et mon nombril. Je sais pas comment on les appelle ces vides-là. Je les aime pas.

La sirène de la Waterman m'a secourue. Heureusement. J'ai dit : « Oh ! Oh ! Il faut que je rentre manger tout de suite. Si j'arrive pas en courant, je vais passer sous la table. Ça va être terrible parce que je suis morte de faim, moi. » J'ai même pas trop écouté ce qu'elles me disaient et je suis partie à la course. Je sais que la plus grande à la bouche pleine de dents croches a dit que ma faim était rien à côté de celle des petits nègres. J'étais rendue trop loin pour entendre la suite. Une chance que j'ai pas eu de rue à traverser parce que je vous jure, j'aurais pas regardé. J'avais pas la tête à ça, j'avais un trop grand vide, j'avais en plus vraiment trop faim et très mal aux pieds : j'étrennais mes sandales d'été ! Jamais je les aurais enlevées pour remettre mes bottines, même si des fois ça me tente. Un tout petit peu.

J'aimerais que maman m'explique pourquoi elle a accepté de me prêter aux sœurs missionnaires.

J'aimerais qu'elle cesse de me parler des petits nègres qui seraient contents d'avoir une assiette à vider, eux. Qui n'ont rien, rien, rien à manger, eux.

« Même pas de bananes ?

— Même pas.

— Zimboumbaaaaaa. »

* * *

C'est le matin des vidangeurs. Je les attends d'une minute à l'autre. Ils arrivent presque toujours quand papa vient de tourner le coin de la rue. Je sais qu'il a tourné le coin de la rue quand j'ai eu le temps de chanter *Au clair de la lune* deux fois dans ma tête. Et je sais chanter *Au clair de la lune* de deux façons. La façon des bébés et de tout le monde, et la façon des grands qui connaissent la valse.

Les voilà ! Ils arrivent en courant et en faisant du bruit. Ils jouent des couvercles comme si c'était des cym-ba-les. Ma seule tante que je connais en a parce qu'elle est maîtresse d'école dans une école anglaise même si elle n'est pas une Anglaise. Elle les apporte à la maison pour les fêtes et j'ai toujours eu la permission de jouer avec les cymbales. J'ai aussi toujours eu la permission de jouer de son piano mécanique. On est un peu une famille de musiciens. Ma tante s'appelle pas Térésa, parce que Térésa, celle qui rit en hihihi et qui est pas une sorcière, c'est pas une vraie tante mais une amie-tante. C'est comme ça qu'on est devenus sa famille.

Les vidangeurs lancent les couvercles sur la pelouse quand c'est pas sur le trottoir. Ils attrapent les poubelles par les poignées et les vident. Ensuite, ils sifflent si fort que le chauffeur part de peur et ils sont forcés de courir derrière pour s'accrocher au camion. Ils savent même pas que moi, j'ai regardé partir la poubelle. Je l'ai regardée partir avec un petit sourire. Dans la poubelle de ce matin, maman avait jeté mes bottines brunes. Moi, je les ai sorties et je les ai cachées. Au cas où j'aurais envie, des fois, de jouer à la petite fille.

Aujourd'hui, j'ai choisi de chanter le *Au clair de la lune* en valse parce que ça prend un peu plus de temps et parce que c'est un peu moins joyeux. À cause de mes bottines que j'ai cachées. Aujourd'hui, je suis pas vraiment joyeuse. À cause de mes bottines, oui, parce que je l'ai pas dit à maman, mais c'est surtout à cause d'hier que je suis pas vraiment joyeuse.

Dans mes cadeaux de fête triste et malade, j'ai reçu une jolie nappe de plastique mou avec quatre poches aux coins. Dans les poches, quatre assiettes de couleur en plastique dur avec des verres et des ustensiles de même couleur: rouge, vert foncé, bleu marine et jaune. Quand on plie tout ça, abracadabra, il y a des poignées qui apparaissent! C'est magique! Marianne, Madeleine, une autre amie, Maryse et moi, on a eu la permission d'aller faire un pique-nique. Pas loin, à deux coins de rues de la maison, par le boulevard du tramway, et deux autres coins vers le fleuve à barbottes. Je portais mon sac-nappe et les trois autres, le lunch et la limonade dans une bouteille Thermos. Ça pesait à peu près égal pour chacune.

On est arrivées à l'endroit qu'on avait choisi. Nos mamans étaient d'accord parce qu'elles veulent toujours savoir où on est. Une maman qu'on connaît habite juste à côté. Elle peut nous apercevoir de sa fenêtre de cuisine. Je pense que les mamans, ça se parle en secret.

On a déplié notre nappe et on l'a bien étendue par terre. On s'est assises et on a mis tous les lunches ensemble dans le milieu. On était très excitées d'être enfin assez grandes pour avoir une si grande permission. On avait la paix, c'était calme, on voyait le fleuve et il y avait plein de fleurs. C'est pour ça qu'on avait choisi le cimetière. Nous, on pense que c'est le plus joli et le plus fleuri de nos parcs.

Au fond, près de la clôture de fer forgé, peut-être, peut-être qu'elle a été faite à la forge de la rue Saint-Denis, il y avait un enterrement. Personne nous dérangeait et nous, on dérangeait personne non plus. On était assises en plein milieu, juste à côté de la croix au Jésus mort de plâtre. Il y avait peut-être une ou deux madames qui nous regardaient une fois de temps en temps.

Peut-être qu'elles avaient faim. On leur souriait, on mangeait la bouche bien fermée et on faisait quand même attention à pas parler trop fort. Quand même, on était polies.

On a fini de manger en même temps que tout le monde de l'enterrement est parti derrière la grosse *station wagon* noire. C'est là-dedans qu'on avait mis le cercueil pour l'apporter. C'était plus pratique. Ils viennent de le mettre dans le trou pour que la terre s'en souvienne. On est allées regarder dans le trou avant que le bedeau arrive avec sa pelle. La boîte était brune avec une autre croix dessus, un peu de terre molle et trois roses tristes. On voyait pas le mort.

Mes amies puis moi, on a décidé de faire un petit somme. Quand on décide toutes seules, c'est un plaisir, pas une punition. On s'est installées dans un coin rempli d'ombre. Le crucifix en fait pas beaucoup. On a dormi toutes les trois, pas trop longtemps, mais on a dormi. J'ai quand même tenu ma nappe bien repliée accrochée à mon bras.

Quand on s'est réveillées, on a eu envie de faire des bouquets avec les plus belles fleurs que les gens avaient laissées traîner. Puis on a remarqué que partout partout dans le cimetière, il y avait plein de beaux rubans accrochés à des fleurs fanées. On les a ramassés. On les a enroulés autour des branches tombées des arbres. Quand on a manqué de branches, on s'est mis des rubans dans les cheveux et on s'en est roulé autour des bras et des jambes. On s'était très bien décorées avec les rubans blancs mais surtout les mauves. On avait fait toutes les quatre des bouquets géants pour nos mères.

Je sais pas pour mes amies, mais maman a tout jeté à la poubelle. Pas devant moi, non, mais c'est le matin des vidangeurs et j'ai vu mes rubans dépasser du couvercle. C'est facile de comprendre que maman aime pas les rubans mauves. J'aimerais juste comprendre pourquoi il y a des fleurs moins belles que d'autres. Je le sais parce qu'elles sont plus dans le vase où je les avais mises, et le vase a été lavé et replacé dans l'armoire.

Tiens, je pense que je vais mettre mes vieilles bottines ce soir, pour dormir, en secret. Un secret que mon capitaine de bateau pourra pas dire parce que ce soir, il est resté dans sa cabine.

* * *

Il pleut et c'est un jour de semaine et ma tante Térésa, celle qui rit en hihihi et qui n'est pas une sorcière, m'a offert un beau cahier à peinture. Sauf qu'on peinture sans peinture ! C'est vrai ! On trempe son pinceau dans l'eau, on barbouille n'importe comment sur la page, et les couleurs toutes déjà bien choisies apparaissent ! C'est magique ! Je sais que c'est pas magique, mais presque. J'ai une page de faite et je vais apporter le cahier pour en faire d'autres avec Luce. Ensuite, après le dîner, je vais aller en faire avec Marianne ! Ça va être une belle journée de pluie, moitié moitié avec mes deux amies qui habitent tout proche. Maman a traversé la rue avec moi parce qu'elle devait poster une lettre et aller à l'épicerie. C'était bien agréable de marcher toutes les deux sous le même parapluie.

J'ai continué jusque chez Luce. Maman a tourné à gauche sur le boulevard du tramway. Luce et moi, on a fait deux pages, puis il a fallu que ça sèche. C'était long. En attendant, on a joué au paquet voleur. J'étais tellement chanceuse que j'ai gagné presque tout de suite. On a commencé une deuxième partie pour que Luce gagne, mais elle a encore perdu. Une chance que les pages étaient sèches parce qu'on a ressorti nos pinceaux. «Mettez moins d'eau, les filles», nous a dit sa mère. On a mis moins d'eau et on s'est contentées de suivre les lignes. C'était beau aussi, mais moins. On a quand même été forcées de laisser sécher. Quand ça a été sec, j'ai entendu: «In-in-in-in- IIIIIIIINNNNNNNN. Au commencement du trait prolongé, il sera exactement midi, heure avancée de l'Est.» Je me suis levée comme une balle. Maman m'aurait dit «calme-toi un peu, ma girouette». J'ai dit que je devais partir parce qu'il était midi pétant. Luce m'a invitée à manger, j'ai dit: «Non, je vais chez Marianne cet après-midi.» La maman de Luce a insisté un peu. J'ai encore dit non, mais j'ai ajouté que ma mère m'attendait. C'était un tout petit mensonge de rien du tout. J'ai vu que Luce avait plein de larmes dans les yeux. Elle me disait qu'elle voulait continuer à peindre sans couleurs. Moi, je voulais montrer mon cahier à Marianne. J'ai dit à Luce qu'elle pouvait quand même pas prendre toutes les pages de mon cahier. Luce a continué de pleurer en silence. J'ai pas aimé ça. À 5 ans, on est trop petit pour pleurer en silence. Les petits, c'est fait pour pleurer fort. J'ai commencé à pleurer moi aussi, mais pas en silence. Sa mère a dit: « Bon, bon, ça va les filles, ce sera pour une autre fois. » La mère de Luce est une sainte femme. Ma mère me l'a dit mais je le savais. Je suis quand même partie.

Quand ma mère m'a ouvert la porte, elle a dit: « Veux-tu me dire ce qui t'arrive ? » Je suis allée devant ma fenêtre pendant que la soupe chauffait. Comme il pleuvait encore, je me demandais si je devais retourner chez Luce ou si j'avais quand même le droit d'aller chez Marianne, rire et courir un peu.

Les lettres du facteur m'ont donné l'idée pour me consoler. Avant d'aller chez Marianne, j'ai arraché la page du centre de mon cahier. Ça faisait quatre beaux dessins et je l'ai mise dans la boîte aux lettres de Luce. Sa boîte aux lettres est plus basse que la mienne, la chanceuse. Marianne a trouvé que mon cahier était un cahier pour les bébés qui savent pas peinturer. Elle a même pas voulu qu'on joue avec.

Le grand trou entre mon cœur et mon nombril est revenu. Quand je voguais la galère sur mon beau bateau, mes parents riaient de ma page de cahier avec le capitaine. Elle avait passé tout l'après-midi à la pluie. La boîte aux lettres de Luce est basse, mais elle prend l'eau. Luce a eu une feuille de papier molle, remplie de couleurs. C'est tout. Je pense que les pauvres yeux de princesse de Luce vont pas sécher de la nuit. Comme les miens. C'est ma faute. J'aurais dû sonner. Est-ce que ça se peut, avoir mal à son pinceau ?

* * *

Mes sœurs veulent plus venir voir le cheval du laitier. Moi je pense que c'est parce que leur couvent est à la campagne. Les chevaux aussi. Je pense qu'il s'appelle Bac. Moi j'aimais bien le regarder manger la haie du voisin d'en face. Mon vieux voisin comme mon grand-père. Une haie haute, haute, haute avec des feuilles comme des petits palmiers. Et plein de petites fèves vertes. Quand il arrivait, des fois le cheval grimpait sur le trottoir. Ça, ça faisait peur au laitier. Il lui disait « wo, wo, Bac », ou bien le cheval allait dans la ruelle. De toute façon, le voisin d'en face sortait les bras en l'air et en pyjama. Et les poings fermés, des fois avec un doigt pointé. Ce jour-là, je l'ai entendu dire : « Donne-s-y de l'avoine à ton m… [gros mot] ch'val ou j't'achète p'us d'lait, mon torrieu ! » Je l'ai entendu dire ça. Mon voisin d'en face était tellement choqué que ce jour-là il a coupé sa haie. Ma mère a dit :

« Veux-tu me dire, on coupe pas ça aussi court, une haie comme celle-là, ça peut la tuer !

— C'est parce que Bac l'a mal coupée, comme d'habitude.

— Veux-tu me dire ce que tu me racontes ? »

Pas le lendemain, parce que le laitier vient quand même pas tous les jours, mais le jour après, le laitier est revenu avec son Bac et sa voiture. « Wooooo, Bac. » Le laitier sort à la course et accroche un sac près des joues de Bac. Le sac ballotte et Bac souffle dedans. Peut-être qu'il a éternué parce qu'il y a eu plein de poussière qui a revolé ! Moi, j'ai vu qu'il a même pas regardé la haie. Depuis ce jour-là, le laitier lui met toujours la tête dans le sac. Bac va plus dans la ruelle non plus. C'est de valeur parce que c'était drôle de le voir manger la haie. C'était drôle de le voir grimper le trottoir et d'entendre les bouteilles faire gueling gueling. Mais je pense que ça inquiétait le laitier. Je pense que la haie a cessé d'avoir peur du cheval parce que depuis sa bonne coupe, elle est encore plus belle. C'est ce que j'ai dit à maman.

« Depuis que Bac a la tête dans le sac, la haie a pas mal moins peur.

— Veux-tu me dire ce que tu vas inventer là ? »

Maintenant, j'ai tout le temps de la cigarette du laitier pour regarder le cheval. Pour lui voir frissonner les pattes puis bouger les oreilles. Et quand je suis vraiment chanceuse, il lève la queue et je le vois faire son caca. Des belles pommes de route rondes puis brunes. C'est beaucoup mieux qu'à la campagne, ici. Il est pas sitôt parti pour aller chez Luce que plein plein de moineaux se précipitent pour manger les grains dans le caca. J'ai compris que les oiseaux ont la permission de chanter la bouche pleine. Pas nous.

* * *

Cette fois, j'ai crié tellement fort que mes deux sœurs et ma mère sont arrivées à la course pour le voir ! Là, devant notre maison, devant ma fenêtre, en personne, il y avait Ali Baba ! Je savais pas qu'il était vrai, mais il l'est. Je sais que Pinocchio est pas vrai, le petit Poucet non plus. Le père Noël, c'est sûr qu'il existe, la fée des étoiles, pareil au père Noël, les trois ours, oui, oui et oui, et ils mangent du gruau. Le bonhomme Sept-Heures est vrai aussi, mais je l'ai jamais vu. Le Chaperon rouge, j'en suis presque sûre, s'est mariée, elle a eu des enfants et elle est devenue grand-mère, elle aussi.

Mais là, devant notre maison, Ali Baba en vivant. Je saute, je saute sur mon coussin et supplie maman d'ouvrir le voilage.

« Veux-tu me dire pourquoi tu t'excites comme ça ?

— Ali Baba est dans notre rue !

— C'est mieux de pas ouvrir. »

Je le regarde en secret. Il a un turban blanc sur la tête et une moustache blanche aussi qui part d'en avant et va s'attacher je peux pas voir où. Il a vieilli parce que dans mon livre il a encore la barbe noire. Il porte une chemise blanche, mais pas comme celles de papa. Une chemise pas de col sortie des pantalons. Pas fini d'habiller. Et son pantalon est comme le pantalon des jardiniers de la ville : trop grand, beaucoup trop grand. Surtout entre les cuisses. Et il porte des sandales. Pas comme les miennes. Pas comme les chaussures de ses livres, non plus, parce qu'elles seraient retournées vers le haut et pleines de brillants. Il marche en se traînant les pieds. Ça doit être parce que ses sandales lui font encore mal aux pieds. Je sais ce que c'est. Ou parce qu'il a trop marché depuis ses livres jusqu'ici.

C'est comme un rêve. Devant ma fenêtre, qu'il est ! Mais c'est que c'est encore plus beau que le bateau sur mon mur de chambre. Ali Baba devant ma fenêtre. En vrai de vrai.

« Maman, regarde !

— J'ai vu. »

Tous les enfants de la rue sont là à crier, à courir, à rire, à sauter. Les carottes, les zinzins, pas tous, mais presque. Cent fois plus énervés que la fois de la pro-ces-sion du tournesol dans sa cage sur roulettes.

« Je veux y aller, maman !

— Pas question.

— Pourquoi ?

— Parce que. »

Ce genre de « parce que » c'est un gros NON ! Comment Ali Baba a-t-il fait pour trouver notre rue ? Est-ce qu'il sait que je me cache derrière le voilage ? Pendant que je regardais les voisins s'énerver, lui est disparu. Pchuit ! Comme Aladin. J'ai un doute.

« C'était Ali Baba ou Aladin ?

— Choisis. »

Comment est-ce que je peux choisir ? J'ai 5 ans, moi. Ils se ressemblent, mais il me semble qu'Aladin porte une boucle d'oreille. Pas celui qui a marché devant notre maison, devant ma fenêtre.

Je me suis précipitée dans ma chambre et j'ai retrouvé mon livre. Ce n'était pas Aladin. C'était bel et bien Ali, mon ami Ali. Je suis remontée à la hâte sur mon fauteuil, en attente. « Ils vont arriver. » J'ai attendu et attendu, et ils ne sont pas venus. Probablement qu'ils ont pris une autre rue. Fatiguée d'attendre, j'ai joué tout l'après-midi à raconter l'histoire d'Ali Baba à mes poupées. Il n'y avait plus de carottes ni de zinzins quand maman m'a demandé pourquoi je sortais pas. Bonne idée, parce que la belle vieille Mrs. Horn arrivait devant le trottoir de notre maison. Tous les soirs, tous les soirs, elle va attendre son beau vieux Mr. Horn au tramway. Quand il pleut, elle a un parapluie ouvert pour elle et un fermé pour lui. Quand il fait beau, elle a rien. Mais elle le ramène toujours par la main tant elle a peur qu'il se perde. Elle m'a attendue et elle a dit : « *Hélo, honnie.* » Et nous sommes allées attendre le beau vieux Mr. Horn ensemble. Le tramway est arrivé et Mr. Horn est descendu le premier, comme toujours. Il a serré Mrs. Horn dans ses bras, comme toujours, en disant : « *Hélo, souite hat.* » Derrière lui, descendant le marchepied, Ali Baba ! Je pense que j'ai fait l'étoile parce que je me souviens de rien. Je me suis retrouvée à frapper la poignée de porte et maman m'a ouvert en disant :

« Veux-tu me dire quelle mouche t'a piquée…

— Ali Baba ! »

Il est repassé devant la maison sans me voir et ils étaient pas encore avec lui. Je me demandais pourquoi, quand j'ai entendu une sirène de police ! Je suis certaine qu'ils venaient d'être mis en prison, ses quarante voleurs. En tout cas, moi, je vais pas dire qu'Ali se cache ici. Mais je comprends pourquoi il porte plus sa barbe noire. C'est pour se déguiser.

Mon bateau se berce moins fort ce soir. Il a un passager. Je sais pas comment il est embarqué, mais Ali Baba est là, sur le pont. Dans ma chambre à moi ! Je l'ai pas vu rentrer dans la maison. Il a dû le faire par en arrière. Et il me parle, mais j'ai un peu peur. Alors je me cache la moitié du visage avec mon drap. De toute façon, j'ai une chanson pour lui. Mes sœurs m'ont dit qu'il la connaissait sûrement.

« Ali ! C'est pour toi, je lui chuchote pour pas réveiller mes parents.

— Chante-la-moi.

— Mahomet est prophète, du très grand Allah ! Il vend des cacahuètes, et du chocolat. S'il vendait des noisettes, au lieu des cacahuètes, ce serait bien plus chouette, mais il n'en vend pas. »

Ali m'a bercée en disant : « Ah ah ah ah… »

* * *

J'ai peur des voitures qui crient ! Depuis ce matin il y a des voitures qui me crient par la tête. Trois fois qu'elles sont passées devant ma fenêtre entre mes céréales et le commencement du trait prolongé ! Et chaque fois elles disent « attention, attention ». Je me suis cachée. Moi, j'ai peur parce que je trouve que ça fait comme dans les films de guerre. Chez Marianne, il y a une télévision – comme toujours, c'est elle la chanceuse. Chez nous, pas encore de télévision, mais ça viendra. J'ai vu ça, des films de guerre dans la télévision. Les soldats qui parlent l'autre sorte de français disent « attention ! » et tout le monde joue à la tag piquée et bouge plus du tout. Et il y a les autres soldats qui éternuent « *apischtoung !* » Ceux-là crient presque aussi fort que les voitures et me font vraiment peur. Je vous dis que la guerre, je connais ça.

Pas plus tard qu'hier, le papa de mon ami Bruno a demandé à mes parents s'il pouvait m'emmener avec eux visiter un bateau. Moi, j'ai dit « oui, oui, oui » bien après mes parents. Ils avaient déjà demandé : « À quelle heure allez-vous revenir ? » On est allés dans le port de Montréal en voiture ! Vous vous rendez compte ! Pas en tramway ! En voiture plus belle que la rouge et noir du voisin serviable. Une Meteor ! En tout cas Bruno disait que c'était la plus belle de la ville.

Arrivée dans le port de Montréal, j'étais plus sûre du tout de vouloir visiter le bateau. Moi, je pensais voir un bateau beau comme celui de mon mur. Bleu avec des voiles blanches. Avec un petit mousse comme dans mes livres, grimpé en haut du mât. Avec un soir pour le chanter.

On est embarqués et ça résonnait sans bon sens. Pang, pang, pang, parce que ce bateau-là, il était tout en métal. J'ai commencé à marcher en traînant les pieds pour deux raisons. La première, pour pas que ça fasse pang. La deuxième, parce que j'avais un peu peur. J'aime pas ça être sur un bateau de guerre. Puis on a descendu un escalier tellement à pic qu'on l'a descendu à reculons ! Bruno trouvait ça drôle. Moi pas. En me retournant en bas, je me suis retrouvée face à face avec un truc pointu de guerre. Comme dans les films. J'ai paralysé là, au pied de l'escalier-échelle. J'ai tellement dit sur tous les tons que, « au secours », c'était la guerre, et que je voulais partir, que c'est le père de Bruno qui a failli me punir ! Pourquoi amener une petite fille de 5 ans sur un bateau de guerre ! Un vrai ! Un gros ! Avec des vrais soldats de mer dessus. Habillés en marine avec des lignes sur le col et des drôles de pantalons. J'ai trop peur que le bateau parte.

Je comprends pas comment nous, les enfants, on réussit à faire ça, mais on réussit. On peut être légers comme une plume quand on est heureux comme dans les bras d'un papa ou d'un oncle en visite. On peut aussi peser plus qu'une poche de patates juste en fermant les yeux et en criant « non ! » Le papa de Bruno a pas réussi à me prendre dans ses bras pour me faire monter. Mes bras étaient en plasticine. Il a essayé de me faire tenir debout. Mes jambes étaient en Jell-O ! J'avais pas envie de rire, moi, mais il y avait un soldat de mer qui riait. « Avoir su, je t'aurais pas emmenée ! » m'a dit le père de Bruno. « Moi, je serais pas venue ! » que j'ai pensé. « Je veux m'en aller chez nous », que j'ai dit. Là, j'ai pleuré ! Pour vrai. C'est bébé, je sais. Mais le soldat de mer m'a dit qu'il avait une petite fille de mon âge. « Quel âge ? » que j'ai demandé, mais c'était pas facile à demander parce que je pleurais en même temps.

« 3 ans.

— J'ai 5 ans presque et demi, moi ! »

J'ai monté l'escalier à toute vitesse et j'ai trouvé la sortie par cœur. Le père de Bruno a donné de l'argent à tout le monde, a dit : « Allez manger, je reviens dans moins d'une heure. » Bruno s'est mis à pleurer, moi je faisais semblant d'être contente. Je me suis retrouvée seule à l'arrière de la Meteor et le père de Bruno m'a pas parlé. Il est même pas venu me reconduire jusqu'à la porte. Maman m'a ouvert.

« Veux-tu me dire ce qui s'est passé ?

— Non ! »

* * *

« Attention, attention ! » Encore les vilaines voitures. Maman m'a annoncé la nouvelle des cris. Une tombola s'en venait dans la ville, avec des manèges qui tournent tellement vite que ça donne mal au cœur. Avec des boules à lancer tellement loin qu'on peut rien rejoindre avec nos petits bras. Des carabines à air de guerre trop lourdes de toute façon. Des roues de fortune qui font tac à tac à tac, mais nous, les petits, on peut même pas poser les jetons. Avec ses barbes à papa qui collent nos joues puis nos robes, des hot dogs qui coulent jaune puis donnent mal au cœur. J'aime pas les tombolas. J'ai dit que je voulais pas y aller. « Même pas avec Marianne ou Bruno ? »

Je peux pas aller à la tombola ! J'ai encore mal dans le cœur du ventre de la guerre. J'ai encore plus mal dans le ventre de la petite fille de 5 ans qui avait l'air de 3 ans. Je pense que le papa de Bruno voudra pas me voir pendant encore trois plus trois, plus trois ans. Je l'ai entendu entre ses dents fermées : « On veut être fin, pis ça nous gâche le fun. » Je pense que c'est mieux pour papa et maman que je joue plus avec Bruno. *Apischtoung !*

* * *

Il paraît que c'est une des dernières belles journées de l'été. Je sais pas comment on sait ça. C'est écrit nulle part, mais il paraît qu'on le sait. Moi, je sais pas encore bien comment on sait qu'il est temps de changer les saisons. Un matin, c'est l'été et le lendemain matin, c'est l'automne. De ma fenêtre, je vois pas grand changement. C'est comme ça.

Les monitrices ont annoncé que c'était la journée pour aller se baigner à l'île Sainte-Hélène. Mes sœurs qui commencent à être de mauvaise humeur ont décidé que c'était une bonne idée. Elles ont aussi décidé que je devais me débrouiller avec les enfants de mon âge. Bon. Tant pis pour elles ! Je vais pas partager mon lunch avec elles. Je vais pas me baigner avec elles. Je vais même pas m'asseoir avec elles dans l'autobus ! Elles vont trouver ça très très difficile. Je les connais. Je suis leur petite sœur.

Toutes les filles attendent en ligne les autobus au terrain de jeu et les garçons dans une autre ligne. Mes sœurs sont avec leurs amies et moi avec les miennes. La journée commence mal. Marianne est pas là parce qu'elle est au chalet de sa famille. Quand je dis famille, c'est sa grande famille. Celle des grands-parents et des oncles et des tantes et des cousins et des cousines. J'ai pas de famille comme ça. Marianne est chanceuse.

Ça continue mal. Mes sœurs sont même pas dans le même autobus que moi ! Heureusement, il y a Maryse, mon amie qui habite en face de chez les carottes et qui a son grand frère zinzin. Celui qui est gentil, mais qui ne comprend jamais bien les règlements. On l'aime quand même. Je l'ai dit, j'aime juste pas jouer avec lui parce que c'est difficile de jouer avec quelqu'un qui comprend jamais bien les règlements.

On monte dans les autobus, mon amie et moi ensemble. Sa grande sœur est avec les miennes dans l'autre autobus. On se tient par la main même si on est assises. On joue à la grande sœur et à la petite sœur. Des fois je suis la grande, des fois c'est elle. Je voudrais pas qu'elle ait peur. Elle non plus.

Notre monitrice est debout devant et elle nous fait chanter : « Conducteur-e/ conducteur-e/ dormez-vous ?/ Pésez donc su'l gaz-e/ pésez donc su'l gaz-e/ ça marche pas.

— Chez nous, on a pas la permission de dire gaz. On dit essence.

— Chez nous aussi. »

L'autobus longe le fleuve et passe devant le cimetière. Je me retourne pour le regarder. C'est rempli de belles fleurs et de rubans. C'est dommage de pas cueillir les fleurs et les rubans... Je lui demande si elle viendrait pique-niquer avec nous. Elle ouvre la bouche comme un poisson rouge : les yeux et la bouche tout ronds. Elle a même les yeux remplis d'eau. Elle me dit que jamais elle viendrait parce que c'est plein de grands-mamans qui dorment là-dedans. Je lui explique qu'on crie jamais, quand même. Elle dit : « Non, non, non » tellement fort que la monitrice s'approche et nous demande ce qui va pas. « Rien », que je réponds. Mon amie lui dit qu'elle veut plus que je sois sa grande sœur parce que je veux pique-niquer avec les morts ! Que les morts c'est triste parce que c'est plus vivant et que c'est pas gentil de leur manger au nez. Voilà ce qui va pas !

Là, c'est à mon tour d'ouvrir la bouche comme un poisson rouge. C'est drôle. Elle a pas menti, mais elle a pas dit la vérité non plus. Je sais pas comment je pourrais dire le contraire sans que ce soit pas trop compliqué pour mes 5 ans. Tant pis.

Je croise les bras et je boude. Moi, je boude quand je sais plus quoi dire, parce que je manque de mots, ou quoi faire. C'est facile, bouder, et à 5 ans on peut changer d'idée. Il y a toujours une personne qui dit: «Jean qui rit, Jean qui pleure. Je le sais que tu veux rire. Haha!» On se met à rire et tout le monde est content. Pour l'instant il y a mon amie qui me dit qu'elle veut plus être mon amie. «Aussitôt que le chauffeur aura fini de péser su'l gaze, je retourne avec ma sœur et je vais avoir beaucoup de plaisir avec elle.» Pourquoi est-ce qu'elle me parle comme ça?

On est sur le pont Jacques-Cartier qui va nous conduire directement à l'île où sont les belles grosses piscines. L'autobus s'arrête et on sort deux par deux, mais on se tient pas par la main. Oh, non. Mon amie prend ses jambes à son cou et court rejoindre sa sœur. J'ai appris ça cette semaine, qu'on pouvait prendre ses jambes à son cou, et je trouve que ça se peut pas. En tout cas. Je suis les autres de mon groupe et je me retrouve dans la salle des casiers. «Comment ça se fait que t'es pas avec ma sœur?» Comment ça se fait que nos sœurs sont déjà arrivées? Il me semblait que leur autobus était derrière le nôtre?

«Parce qu'elle est partie te rejoindre.

— Je lui ai dit que j'étais pas sa sœur aujourd'hui.»

La belle affaire. On est toutes ressorties et on l'a trouvée, assise au pied d'un arbre, en larmes – elle pleure beaucoup, mon amie. Sa sœur l'a grondée comme une mère ou une grande sœur. Elle lui a dit avec des yeux qui font vraiment peur :

« Cesse de pleurnicher pour rien.

— C'est pas pour rien.

— Si c'est pour quelque chose, tu me le diras ce soir. Moi, je vais me baigner. »

On s'est donc retrouvées toutes les deux toutes seules à plus vraiment vouloir jouer à la grande sœur, à plus être certaine de vouloir se baigner non plus. On a quand même enfilé nos maillots et la journée s'annonçait terriblement ennuyante. À ce moment-là, Bruno s'est fait siffler parce qu'il courait sur le bord de la piscine pour venir nous rejoindre.

En s'arrêtant en faisant des bruits de freinage, il a glissé et s'est fendu la tête. C'était épouvantable. Il criait à me faire peur et encore plus quand il a vu qu'il saignait de la tête. C'était la première fois de sa vie qu'il saignait de la tête. Moi, ça m'est déjà arrivé deux fois mais je m'en vante pas. Le *lifeguard* nous a menés tous les trois avec lui dans la pièce à la croix rouge sur la porte, et la personne habillée en blanc qui était là a dit : « Pas encore ! Ça va faire, aujourd'hui, les têtes fendues. » L'autre a répondu qu'il y avait pourtant des pancartes partout qui disaient de pas courir. Maryse puis moi, on a dit qu'on comprenait mieux les dessins que les lettres. De toute façon Bruno savait pas lire non plus. Ils ont rien répondu. Plus tard, beaucoup plus tard, Bruno a fini de crier que ça faisait mal. Je pense que c'est à cause de la seringue qu'on lui a plantée direct dans la tête. Ils ont demandé à Bruno s'il savait compter. Bruno a répondu: «Oui, je suis pas un bébé.» On lui a dit de compter chaque fois qu'il sentirait que ça poussait un peu. Il a compté jusqu'à trois. C'est le nombre de points qu'on lui a fait. Le chanceux!

Moi, j'ai pas eu de points quand j'ai saigné de la tête. Peut-être que j'aurais dû en avoir. Peut-être que toutes mes idées sont sorties par le trou. Quand maman écrit une lettre à sa famille et qu'elle finit une phrase, elle met toujours un point. Des fois, quand je suis à côté d'elle ou sur ses genoux, je tiens un crayon moi aussi et c'est moi qui fais le point. Quand elle a fini toute sa lettre, elle me dit que le dernier point est un point qu'on appelle final. D'habitude, celui-là, je le fais plus gros. Moi, je n'ai jamais eu de point final sur la tête. En tout cas.

Après tout ça, tous les trois, on avait plus envie de se baigner et Bruno s'est rhabillé. Il avait été couché pendant au moins le temps de tout un Howdy Doody. Maryse qui était redevenue mon amie et moi, on a fait pareil. On est sortis, sans le dire, et on a pique-niqué en dessous d'un arbre. C'était un beau pique-nique parce qu'on a échangé nos sandwiches. C'est pas vrai. On a mis tous les sandwiches dans un même tas et on pigeait chacun son tour les yeux fermés! C'était plus drôle. Heureusement que tous les sandwiches avaient encore leur croûte parce qu'autrement, on aurait triché pour avoir un sandwich pas de croûte.

Bruno a été très populaire quand il est arrivé le premier à son autobus, à cause du pansement sur sa tête. Nous, on s'est reprises par la main parce qu'on avait fait la paix avant le pique-nique. Mes sœurs sont redevenues mes sœurs même si la mauvaise humeur est revenue.

Ce soir-là, j'ai mis mon pyjama en vingt minutes je pense au lieu de deux. J'avais vraiment pas envie d'aller dormir. Même si j'avais vu un gros trou, au cimetière, j'ai redemandé à papa si les morts remontaient juste en dessous du gazon tout près des vers que les merles attrapent.

« Oh, ils sont à six pieds en dessous de la pelouse. » Mais moi, six pieds, je sais pas trop ce que c'est, alors je lui ai demandé de me montrer. Il a mis son doigt sur le mur.

« C'est là, six pieds.

— Mais ça, c'est six de haut. Moi je veux savoir six pieds de bas.

— Ah ! qu'il a dit. Pourquoi ça ?

— Si le plafond c'est la terre, le mort il est enterré où ? » Il m'a montré le dessus de la table. « Là. » Ça m'a rassurée et je pense que Maryse le sera aussi quand elle saura que le cercueil ne remonte pas et que les morts dorment profondément.

* * *

Il pleut et je peux pas aller jouer chez Luce. Je peux pas parce que ça fait une semaine qu'on est dans la mauvaise humeur et dans la chicane de sœurs du matin au soir. On va au magasin et on est dans la mauvaise humeur. On a sorti les grosses malles bleues dans la mauvaise humeur. On a acheté les nouveaux cahiers et tout ce qu'il faut toujours dans la mauvaise humeur. Même maman a failli devenir de mauvaise humeur. Quant à moi, j'ai passé la semaine devant ma fenêtre. Une chance que je l'ai, ma fenêtre.

Ali Baba vit maintenant à l'envers des autres du tramway. Il part en cachette la nuit pour que personne le reconnaisse. C'est ce que je pense parce qu'il croise Mr. toc toc Horn tous les matins. Mr. et Mrs. Horn lui disent: «*Hélo, misère Quarachide!*» Et lui répond: «*Goûte mon linge!*»

Cette semaine, Mr. Horn a acheté une canne! Je sais pas pourquoi, parce qu'il marche bien, Mr. Horn. Pas vite, mais bien, pour un vieux. Maintenant, il tient sa canne, de la main droite, toujours, et Mrs. *Hélo, souite hat* Horn par la main, toujours. Sauf que maintenant, quand il descend du tramway, ça fait, «toc, toc, *hélo, souite* toc *hat*». Mais elle sourit quand même. Le matin, elle marche sur le trottoir, du côté des pelouses. Le soir, du côté de la rue. Ils sont tellement gentils que, lorsque je quitte ma fenêtre, il m'arrive de sonner à leur porte. C'est vrai. Leur sonnette est assez basse, elle. Je sonne deux petits coups de rien du tout parce que c'est une sonnette qui sonne sans arrêt. Ça, ça veut dire que ça résonne tout le temps qu'on appuie dessus. Mes parents ont installé une nouvelle sorte de sonnette qui fait ding dong. Les maisons qui sentent la pipe et qui ont des murs de bois ont des sonnettes swinnnnnnn. Comme celle des Horn, celle de la maison d'en face à la haie et celle de la maison de Bruno. Depuis le bateau de la guerre, j'y vais beaucoup moins que plus chez Bruno. Ça, c'est dommage, mais on a commencé à jouer au magasin.

Ce matin, c'est le matin des vidanges et j'ai pas envie de les voir, les vidangeurs. Je chante deux *Au clair de la lune* le temps d'un pipi et, quand je reviens, les poubelles sont vides et papa est pas parti. Aujourd'hui, il reste à la maison pour aider maman à déplacer les énormes malles qui vont suivre mes sœurs au couvent. Elles se font remplir de mauvaise humeur depuis deux semaines. De la mauvaise humeur bien pliée et marquée à l'encre de Chine. Moi, je sais pas ce que je pense. J'avais presque oublié qu'elles sont parties petites et qu'elles sont revenues grandes. Je me demande comment elles vont être quand elles vont revenir. Des mamans ? Moi, je pense que les couvents, c'est fait pour faire vieillir et grandir les enfants.

Mes sœurs ont pas pleuré, elles sont trop grandes pour ça. On pleure plus à 10 puis 13 ans, c'est sûr. Elles ont dit à tout le monde qu'elles étaient contentes de prendre le train.

« Oui, oui !

— Toutes seules ?
— On est habituées.
— Et vous parlez anglais ?
— *Of course, ouate do you tink ?* »

Moi je *tink* que je vais retrouver maman pour longtemps, qu'on va apprendre des nouvelles lettres à écrire, et elle m'a promis une fable de Jean de La Fontaine. Il paraît que c'est une petite histoire. Tant mieux. J'aime pas les longues histoires, celles des gros livres comme la Bible de papa, les missels d'église ou le dictionnaire *Larousse* pour les mots croisés de maman.

Le camion du CNR est devant la maison. La mauvaise humeur monte le ton. Mes sœurs parlent en s'énervant, maman fait comme si elle les calmait. Je trouve qu'elle est pas mal énervée, elle aussi, et papa, assis près de moi, passe son temps à vérifier si les billets de train sont dans sa poche intérieure.

Les deux hommes du CNR sonnent à la porte. En deux temps trois mouvements, les malles avec les noms et l'adresse du couvent collés dessus sont dans le camion. Nous, on attend que notre voisin serviable recule sa voiture rouge et noir devant le trottoir. Moi, je sais pas quoi penser. Je me demande même si je dois penser quelque chose de spécial. Je pense simplement que tout le monde est énervé, sauf moi.

Je suis forcée de quitter ma fenêtre parce que le voilà qui arrive, notre voisin serviable. On est sur le pont Victoria et, tout à coup, il fait noir. Il y a un train qui roule à côté de nous et, comme je suis petite, je vois plus rien.

« Je vois rien.

— Cesse de crier.

— Je crie pas, je dis que je vois rien.

— On a presque fini de traverser.

— Mais je veux voir les lutins sur le fleuve.

— Il y a pas de lutins sur le fleuve.

— Oui, il y en a qui pêchent.

— Ce sont des pêcheurs.

— Non, ce sont des lutins ou des ginômes.

— Des lutins ou des gnomes.

— Tu vois les lutins et les gnomes ?

— Non et tu te calmes, et tu te tais deux minutes. Tu n'as pas cessé de piailler de la journée ! »

Moi ! Pas arrêté ? J'ai parlé toute seule à ma fenêtre, moi, j'ai dérangé personne, moi.

Mes sœurs partent et je pense que la journée est trop triste. En plus, il pleut. Et je suis pas chez Luce. Est-ce que je vous ai dit qu'elle avait les cheveux roux et frisés ? Quand je joue avec elle les jours de pluie et qu'elle est devant la lampe de la cuisine avec ses cheveux roux et frisés, moi, je vois plus son visage. Je vois juste un soleil.

Il faudra qu'on m'explique pourquoi, même si on est grand, on pleure quand on arrive et on pleure quand on part. Mes sœurs, mes grandes sœurs de 10 ans et de 13 ans, pleurent en cachette et en silence dans la voiture rouge et noir. Je le sais, leurs larmes me mouillent les mains. Avoir su, j'aurais mis mes bottines.

* * *

Le guenilloux appelle ses guenilles dans la ruelle en arrière. C'est vraiment pas le bon moment parce que, devant ma fenêtre, il y a le fermier qui arrive avec son blé d'Inde, ses patates, ses oignons et sa fille. Maman m'a dit qu'à partir de bientôt il y aurait les choux et les navets. J'ai encore longtemps à attendre avant les citrouilles, je pense.

J'aime pas ça avoir à décider entre le fermier et le guenilloux. Le guenilloux est drôle et il fait semblant de me faire peur. Moi, je fais semblant d'avoir peur et je me cache derrière les arbustes et les haies. Je sais qu'il me voit. On rit tout le temps. Maman lui donne toujours plein de choses, quand elle en a.

Le fermier puis sa fille, qui a des lunettes pointues turlututu avec des brillants, sont drôles aussi. Tous les deux ont un sac à main rempli de sous pour nous. Tous les deux le portent sur leur bedaine. Grosse, pour le fermier, pas de bedaine pour sa fille. Nous on donne des un dollar, des deux dollars des trois dollars… c'est pas vrai ! Les trois dollars puis les quatre dollars, ça se peut pas ! Les cinq dollars, oui, puis les autres. Une fois j'ai eu, à moi toute seule, un dix dollars de ma marraine ! Je vous ai pas parlé de ma marraine. Tout à l'heure. Là, j'ai choisi d'aller voir le guenilloux parce que j'aime me cacher. Ensuite, je vais courir par la ruelle du côté pour voir le fermier et sa fille. J'aime leurs camions. Celui du guenilloux fait plein de bruit. Tellement qu'il a pas vraiment besoin de crier pour dire qu'il est arrivé. Le camion du fermier est beau avec ses côtés en planches. Ce que j'aime le plus, c'est qu'il a toujours, toujours de la boue de campagne dessus. Ça, j'aime ça. Mais on voit quand même que sa peinture est comme brun gris beige. Ou vert.

Maman attendait le guenilloux avec le linge que mes sœurs m'ont pas donné parce que. Quand j'ai demandé à maman pourquoi elles me le donnaient pas, elle a dit parce que. Ça doit être parce qu'il avait des taches ou des trous. D'habitude, c'est pour ça. Parce que quand il est encore bon pour moi, c'est pour moi. Quand il est assez bon, c'est pour mes cousines. Quand il y a des taches ou des trous, c'est pour le guenilloux. Moi, j'ai pensé que des fois on aurait pu le donner à la petite fille qui va chercher les restes de table du couvent. Maman a dit que c'était pas possible. Qu'on allait « l'en-com-brer, la pauvre enfant, avec encore plus de choses ». C'est vrai que sa voiturette est pas mal pleine.

Le guenilloux a tout ramassé. Des serviettes, des vieux clous, des vieilles vis et une lampe qui nous donne des chocs et qui est laide. Mon papa aime pas tellement faire des petits travaux. Le guenilloux m'a fait très peur en me disant qu'il allait me cacher dans un vieux bidon d'huile. J'ai crié et je suis allée me cacher derrière la grosse haie de cèdre. À travers les branches je voyais le camion du guenilloux. J'entendais le moteur qui faisait du bruit et je respirais son essence qui fumait noire. Et puis, tout à coup : « Bonjour, belle petite fille, qu'il me dit. Habites-tu la maison où il y a plein de belles fleurs et de la bonne rhubarbe ? » Mais là... c'est... Je sais pas pourquoi, moi, j'ai la bouche ouverte et la tête pleine de mots, mais c'est tout. Je sais plus parler. « Est-ce que c'est ta maison ? » Il me peigne la queue de cheval pas avec un peigne mais avec ses doigts. Ça tire.

« Aïe !

— Il me semblait que tu savais parler. »

Je sais pas si je le connais ou non. Peut-être ou non. Mes yeux voient mal puis dans ma tête, ça fait pchui, pchui. Là, il me demande si j'ai un petit frère. Je fais non de la tête, mais pas de la bouche. « Un grand frère ? » Non. Je veux partir. Là, il me demande si mon petit frère en a un comme ça. Un quoi que je me demande. Là, je vois qu'il tient un foulard rose tout roulé dans sa culotte ! « Il en a un comme ça », qu'il me répète. La voix me revient. « Non, je te l'ai dit, j'ai pas de frère. » Là, je vois que le camion est parti. Je vois aussi qu'il veut dérouler son foulard rose parce qu'il le secoue comme on fait avec un napperon. Mon Dieu, que je pense, si c'est un napperon, ça va être plein de miettes sur ma jupe. C'est là que je suis ressortie de derrière la haie pour revenir en courant devant la maison.

« Veux-tu me dire où tu étais passée ?

— Derrière la haie de cèdre, comme d'habitude, maman.

— Le guenilloux a été obligé de partir.

— Ah… j'étais là, comme d'habitude, maman… »

Le fermier et sa fille rendaient les sous. Maman avait encore acheté des petits pots de lait caillé. Ils sont fermés avec un papier ciré et un élastique. J'aime pas le lait caillé, mais maman et la maman de Marianne en achètent toutes les semaines. Marianne aime ça. Moi, je le mange avec plein de sucre pour oublier le goût du lait caillé. Maman, elle, met des fruits. Comme la maman de Marianne. Moi, je veux pas gâcher mes fruits avec du lait caillé.

Pas de bateau ce soir. Je sais pas où il est allé. Depuis que je suis toute petite que mon bateau secret m'attend sur le mur de ma chambre. Je vais le rejoindre juste avant de partir pour le monde des rêves. Je vous l'ai dit. Mais ce soir il est pas là. J'ai peur. Encore plus peur que de la guerre. Je me suis sauvée et j'ai couru. « Veux-tu me dire où tu étais passée ? » m'a dit maman. Je lui ai dit que j'étais derrière la haie. J'ai pas parlé du monsieur que je connais peut-être ou non. Je sais plus. C'est comme un secret. Mais mon bateau est pas là et j'ai peur. Au moment où je viens pour m'endormir, voilà qu'apparaît sur mon mur le bateau de guerre avec un drapeau rose roulé au bout du canon. Mamaaaaaaaaan !

* * *

Maman a mis un temps fou à me faire des nouvelles tresses. Des tresses françaises. Avant j'avais des bonnes vieilles nattes. Si ça avait pas autant tiré, je me serais endormie là, comme ça, une mèche de cheveux dans la main de maman. Maman est énervée ! C'est elle la girouette aujourd'hui. C'est pas moi. Moi, j'ai passé la nuit à attendre mon bateau et chaque fois que je fermais les yeux, c'est l'autre qui arrivait. J'appelais maman et quand j'ouvrais les yeux, elle était là. « Tu as fait un mauvais rêve », qu'elle me disait en me couvrant. J'ai pensé me lever pour enfiler mes bottines mais j'avais peur qu'elle les voie. Je l'ai pas fait. Ou je me levais et j'allais la réveiller en lui tapant sur le pied. « Veux-tu me dire ce que tu as mangé ? » Moi, je réponds pas. Tout ce que je digère pas, c'est mon secret. C'est la première fois de ma vie – à part la cachette de mes bottines – que j'ai un aussi gros secret. Maman dit qu'elle a la bonne humeur fragile parce qu'elle a pas bien dormi. Qu'elle veut qu'on soit prêtes parce qu'aujourd'hui, c'est la visite du curé. En plus, il va nous bénir, maman et moi. Toutes les deux toutes seules. J'ai pas envie de ça, moi.

Quand je l'ai vu arriver avec son béret et la tête penchée sur le côté, sage comme une image, je suis allée me cacher dans la dépense. « Veux-tu me dire… » Non, je veux rien dire. J'ai très très peur que le curé voie par mes yeux les histoires que moi, je cache dans ma tête. Ce serait impoli, je le sais, de le recevoir les yeux fermés… Je suis mieux de rester dans le noir de la dépense.

L'automne

J'ai 5 ans pas encore et demi. J'aime respirer les feux de feuilles au bord du trottoir. J'aime retrouver les nids que les feuilles avaient cachés. J'aime voir les volées de canards et les entendre crier. J'aime la petite glace du matin qui fait peur au boulanger.

Je le vois sauter à gauche puis à droite, les deux pains ballottant au bout des mains. W-o-n-d-e-r B-r-e-a-d. C'est ce qui est écrit sur le camion. Dans bientôt il va sonner et maman répondre la même chose que toujours. Non, elle veut pas de bon pain blanc. « Que du bon pain brun. Non, pas de gâteau, merci. À vendredi. »

Je parle plus au boulanger depuis que je lui ai trop parlé. D'abord, je savais pas que j'avais dit des choses pas correctes. J'ai entendu papa et maman en parler. J'ai compris que c'était pas correct. C'est à cause de mes yeux. Je pense qu'ils sont pas de la bonne couleur. Un soir de parties de cartes de grandes personnes en automne, quelqu'un a dit : « Celle-là doit ressembler au boulanger. » J'ai entendu les « hihihi » de tante Térésa, les « hohoho » et les « hahaha » des autres.

Quand j'ai vu le boulanger, je lui ai dit : « Il paraît que je vous ressemble. » Le boulanger est devenu rouge comme les feuilles, il a regardé maman et il a dit : « Ah, les enfants… ahaha ! » Il riait pas vrai. Il est reparti glisser sur l'automne.

« Veux-tu me dire où t'es allée chercher ça ?

— Dans votre jeu de cartes.

— Tu parles trop, Charlotte. Il y a des choses qu'on peut dire et des choses qu'on dit pas. »

J'ai même pas regardé les yeux du boulanger, moi. Je suis allée porter le pain dans la dépense et je suis restée là à pas vouloir sortir. Cette fois, c'est vrai. J'ai presque boudé. C'est pas vrai. J'ai boudé. C'était pas juste du tout. Avant, les grandes personnes ont ri. Aujourd'hui, c'est pas drôle. Il faudra qu'on m'explique pourquoi le vert kaki de mes yeux a fait rire un soir. Pourquoi la couleur de mes yeux me fait punir aujourd'hui. C'est quoi les choses que je peux dire ? C'est quoi les choses que je peux pas dire ? Moi, je sais parler, maintenant. Pourquoi pas dire mes mots ?

J'aime mieux le pain blanc. Des fois, j'en mange chez Luce. J'en mange plus chez ma marraine. Ma marraine est la plus belle marraine du monde. Si ma marraine avait une baguette magique dans la main et une robe longue violet, je pense qu'elle aussi serait sortie des livres. Comme mon ami Ali Baba.

Je l'ai vu tout à l'heure et il portait des chaussures à lacet avec des caoutchoucs par-dessus ! Comme moi ! Comme le facteur. Comme le boulanger aux yeux verts. Il se déguise tout le temps, mon ami Ali. Il ressemble au monde des vingt et une portes de ma rue qui, lui, est pas sorti des livres. Il est très très bon pour pas qu'on le reconnaisse.

Ma marraine, elle, elle parle doucement et rit doucement aussi. Tout le temps, pour tout et pour rien. Et les gens disent : « Eh ! qu'elle est agréable ! » Maman dit ça, papa aussi, tante Térésa qui rit en « hihihi » aussi et les voisins serviables et la maman de Marianne. Quand elle rit pas, elle sourit. Mon parrain, lui, est le plus bel homme de la ville. Mais il a pas un seul cheveu sur la tête ! Moi, je pense qu'il est un prince déguisé en chauve. Je pense que ma marraine est sa princesse cachée dans une vieille madame. Ma marraine doit être vieille parce qu'elle a des cheveux blancs très longs. Elle se fait un chignon. Et... elle frise tous les petits cheveux qui dépassent avec un fer à friser chaud ! Pas avec des bigoudis. Avec un fer à friser chaud. Quand je la regarde, ses cheveux sont comme de la dentelle. C'est très très beau. Et c'est pour ça que je suis certaine qu'elle est une princesse déguisée en vieille. Un sorcier a dû lui jeter un sort : « Tchaka. Belle princesse aux yeux bleus, tu vas devenir une vieille femme ! Qui parle en murmurant les mots. Tchaka ! Qui rit en crachant des oiseaux. Tchaka ! »

Maman ouvre la porte de la dépense. « Ta marraine arrive bientôt, viens. » Pas un mot sur ma bouderie. Même pas une petite punition de rien du tout. Hop ! debout sur ma petite chaise, et maman me fait des tresses françaises que tout le monde regarde. Les tresses, les rubans, les jambières de cuir, les gants, j'ai juste à l'attendre. Il manque seulement mon manteau. C'est long.

La voilà ! La voilà, ma marraine ! Elle arrive. Aujourd'hui, elle vient me chercher et on va marcher jusqu'à sa maison. Sa belle maison couverte de vignes. C'est là que les araignées se cachent. Et des petites fées.

Je cours au-devant d'elle parce que je cours toujours au-devant d'elle. Elle sent la poudre, ma marraine et ça sent bon. Elle se penche pour me dire bonjour et pose une main douce douce sur mes tresses. « C'est beau, ça. Tu as l'air d'une petite Française. » Elle sourit, puis elle rit. Comme toujours. Elle refuse le café. « On est un peu pressées. Peut-être tout à l'heure. » Elle m'aide à enfiler mon beau manteau carreauté vert et bleu marine. *Blagouache*. Avec un beau collet de velours vert ! Et j'ai des gants verts. Et je porte mes chaussures du dimanche et des caoutchoucs bruns. Mes jambières de cuir attachées sur le côté, avec des courroies, sont en cuir brun. Ma marraine termine de boutonner mon manteau, et maman me met un chapeau d'automne sur la tête. Avec des cordons qui m'étouffent la gorge. Je dis rien parce que je suis trop contente de partir chez ma marraine pour toute une journée.

On est parties. Je me retourne pour regarder maman. Je fais semblant d'avoir une cigarette et je fais sortir plein de fumée de ma bouche. Ma marraine rit. Vraiment, ce matin, je pense que j'ai grandi. Vraiment.

Ma marraine a quatre grandes filles. Plus grandes et grandes comme mes sœurs. Il y en a une qui a le plus beau nom du monde : Paméla ! Je pense que ma prochaine poupée va s'appeler Paméla. Ça chante.

J'ai eu la permission de me mettre plein de crème sur le visage. Ma marraine appelle ça du *colcrime*. Elle a du parfum sur sa table de beauté dans une belle bouteille. Du cristal, qu'elle m'a dit. Avec une petite poire. J'ai la permission de peser pour faire sortir le parfum directement derrière ses oreilles et sur ses poignets. Je l'ai fait toute seule. Ma marraine a ri parce que j'ai éternué. Quatre fois, que j'ai éternué.

Maman aussi a du parfum, mais pas du parfum pareil. Ses bouteilles ont des bouchons ordinaires avec un petit caoutchouc. Pas de petit cordon mou et de petite petite poire. Maman aussi sent bon. Toutes les mamans sentent bon. Mais pas pareil.

Ma marraine est belle comme une grand-maman avec ses cheveux gris et blancs ou blancs et gris, je sais pas. Mais elle est jeune comme maman qui elle aussi a les cheveux blancs et gris ou gris et blancs. Deux mamans qui auront plus de bébés. Vous savez que je le sais.

Chez ma marraine, il y a aussi un fauteuil devant la fenêtre. Je connais pas sa rue. J'ai grimpé en enlevant mes chaussures, bien entendu. Et j'ai vu mon laitier et son cheval ! Il était là, arrêté. Je l'ai vu parler à la voisine de ma marraine. Il était aussi souriant qu'avec maman. Ça m'a fait tout drôle de voir qu'il laitait sur d'autres rues que la mienne. Je comprends pas trop. Je pensais qu'il était à nous, le laitier. Et à Luce pour son cœur petit, tout petit, petit. Elle doit en boire beaucoup beaucoup pour guérir.

En tout cas, ici, le cheval Bac a pas la tête dans le sac. Il porte sa couverture d'automne. Ça, c'est triste. Pas sur ma rue. Hier, il l'avait pas. Hier j'avais pas mes jambières de beau cuir brun non plus. Hier, c'était pas aujourd'hui. Et aujourd'hui, j'ai grandi, je le sais. Tout est plus petit. Mes manches, les jambières, même mes gants. Mon manteau me serre presque le ventre.

J'aime pas ça voir mon laitier et mon cheval ici. Ça me donne pas un vrai vide entre le cœur et le nombril, mais ça me donne envie d'aller dans ma maison. Je veux manger avec ma maman ce midi. Une soupe et un sandwich.

Je me suis assise, ma marraine est arrivée et je lui ai dit. Elle a penché le front et elle est venue le coller au mien. « J'ai de la soupe poulet et nouilles et des sandwiches pas de croûte. J'ai des carottes et des concombres. Et j'ai des pots de bébé au pouding au chocolat ! »

J'ai éclaté en sanglots. « Je veux maman. » Et ma marraine m'a dit que maman était pas à la maison. Qu'elle était partie, à Montréal, faire des courses. Que si je voulais, on pourrait, quand la petite aiguille serait sur le 4 et la grande sur le 12, l'attendre au tramway.

Bon, j'ai bien pensé à mon affaire. Le repas avait un pouding au chocolat en plus. On reviendrait par le boulevard et on longerait la voie ferrée du tramway, en plus. Ça, j'aime ça. Je pourrais, si je le voulais, briser toutes les petites glaces qui restent sur le trottoir. Ça, j'aime ça aussi.

Bon, j'ai dit O. K. à ma marraine et ses sandwiches étaient bons. Le concombre aussi. Le pouding, très très bon et elle m'en a donné un pour apporter à la maison.

Après le repas, elle m'a offert de me reposer ! Quand même, je fais plus de somme. J'ai 5 ans ! Mais ma marraine, elle, en fait encore et elle a 45 ans !

Elle m'a demandé de m'allonger près d'elle et j'ai dit non. Je préfère lire mon livre *L'Escapade de Paulo*, dans le salon. Je me suis assise et j'ai lu jusqu'à ce que Paulo éclate en sanglots parce qu'il s'est perdu. J'ai fait pareil. J'ai jamais compris comment mon bateau à moi, mon bateau secret s'était retrouvé sur le mur chez ma marraine. Maman était sur le pont et elle me faisait des signes de la main.

La grande aiguille nous a poussées dans le dos ! On a marché vite sur le boulevard et on est arrivées à un arrêt du tramway. Ma marraine, qui a un beau sourire, a fait un signe au chauffeur. « Oui, oui, qu'il a dit, montez, pour deux arrêts ! »

Mon beau Mr. toc Horn était là, assis près de la fenêtre, les yeux fermés ! Il avait accroché sa canne sur la poignée dorée de son banc. Puis j'ai vu ma rue et Mrs. Horn qui l'attendait. Il a ouvert les yeux, comme par magie, au bon moment. Il s'est levé, m'a reconnue, a dit bonjour à ma marraine, et c'est en lui tenant la main à lui que je suis sortie. « *Hélo, souite hat* », qu'elle lui a dit Mrs. Horn en l'embrassant. Puis elle m'a regardée : « *Oh ! hélo, honnie !* » Quel beau revenir à ma maison.

* * *

J'ai peur des clowns ! Au premier coup de sonnette, tout excitée, j'attendais que maman ouvre. J'étais prête. Je suis toujours pas assez forte pour ouvrir la porte à cause de la poignée, même si j'ai grandi. Et là, devant moi, il y avait un clown plus grand que moi, une taie d'oreiller ouverte devant lui qui disait : « *Chariti plise* » avec une grosse voix de garçon. Je suis allée me cacher sans lui donner sa pomme et ses *clonnedacs*. Maman a ri en anglais. Je l'entendais, même si j'avais un chapeau de laine sur la tête et un chapeau de paille par-dessus.

Aujourd'hui, moi, je suis un jardinier. Parce que, cette année, pour la première fois, je vais sonner aux portes moi aussi, avec papa ! Maman, elle, va rester ici. J'avais simplement pas pensé que je verrais des clowns. Il est parti, *tank iou*. Je reviens à la porte en trépignant.

« Quand est-ce que je sors, moi, quand est-ce que je sors ?

— Calme-toi. Tu y vas maintenant. »

Me voilà dehors avec les grands et les très grands. Je le savais que j’avais grandi. Je suis déguisée en papa qui jardine. Chapeau de paille, le vieux gilet marine troué de papa, un pantalon à bretelles et… et…. une moustache ! Comme celle de papa ! Et papa est là aussi, mais il reste sur le trottoir. Je vais toute seule aux portes. Et je suis assez grande pour presque toutes les sonnettes !

« *Chariti plise !* » Les voisins serviables m’ont même pas reconnue. « Mais c’est qui ? Tu reconnais, toi ? » J’ai rien dit. J’ai ouvert ma taie d’oreiller et j’ai eu tout un sac de chips ! Tout un ! J’ai voulu aller retrouver mon amie Maryse, celle qui pleure à la piscine, mais elle était déjà partie à une fête avec sa sœur. C’est son frère zinzin, tout heureux, qui m’a donné plein de bonbons.

« Vas-y », m’a dit papa. J’étais devant la porte des carottes : « Non. Plus tard. » Je suis allée sonner à la porte du papa patapouf booing. Le chien cessait pas de japper et le papa de crier après pour qu’il se taise. J’ai eu plein de boules noires dans un petit sac transparent avec un ruban orange. Toute une surprise, ça. C’était comme si j’étais attendue par Mr. et Mrs. Booing. Ils ont été souriants et gentils, et le chien m’a pas mordue. Au prochain Halloween, je vais demander à maman de préparer des petits sacs. J’aime beaucoup les boules noires. En fondant, ça devient rouge, puis jaune, puis orange, puis bleu. Quand j'en mange, je passe mon temps à courir devant le miroir pour voir de quelle couleur sont ma boule et ma langue.

Je commençais presque à être fatiguée. Je suis pas habituée de marcher le soir en portant une taie lourde de pommes et de bonbons. J'ai voulu aller chez les Horn chercher des *jolies bines*, mais toutes les lumières de la maison étaient éteintes.

« Hein ? Qu'est-ce que ça veut dire ?

— Ça veut dire qu'ils ouvrent pas la porte.

— Je veux qu'ils voient le petit jardinier.

— Tu leur montreras un autre jour. Viens. Donne-moi ta taie. »

Je suis allée chez les voisins grands-parents d'en face qui m'ont pas reconnue, non plus. « Je vois pas qui c'est, qu'ils disaient. Je connais pas de petit jardinier moustachu. Connais-tu, toi ? » Moi, je riais même si j'étais triste de pas avoir vu les Horn. Je disais « sais pas » en changeant ma voix quand ils me posaient une question. Ils m'ont fait chanter. J'y ai bien pensé et pour être certaine de rester déguisée, j'ai chanté en anglais ! « *Ha moche is dat doggi in de windo, wouf ouf !* »

J'ai pris mon courage à deux mains et en tenant très très fort ma taie d'oreiller, je suis allée chez les carottes. J'avais peur parce qu'ils avaient fait un cimetière devant leur maison. Mais pas un beau cimetière comme le mien à pique-niques. Non, un cimetière plein de toiles d'araignées... J'ai sonné avec trois autres enfants et devant moi, catastrophe : deux clowns, laids comme des clowns, ont ouvert la porte ! J'ai redescendu l'escalier en courant et papa se demandait ce qui m'était arrivé. « Jamais de ma vie je vais toucher à une main de clown. » Papa a voulu me rassurer.

« C'est pas des vrais clowns. Ils sont costumés en clowns. Comme toi, t'es pas un vrai jardiner.

— Oui, je suis un vrai jardinier. Anglais, à part ça. »

Il était plus que sept heures et j'en ai eu assez pour cette année. J'étais fatiguée. Je suis quand même arrêtée chez le ministre. « *Chariti plise !* » Le ministre m'a regardée de haut en bas. Puis, il m'a regardée de bas en haut. Il m'a finalement demandé qui j'étais.

« *No dire.*

— Hum », qu'il a répondu en rentrant dans la maison. Ses enfants étaient déguisés en dodo. Ils portaient leurs pyjamas avec un masque de loup et un de mouton. Le ministre est parti et il est revenu rapidement. Nous avons tous eu des *clonnedacs* et moi, il me semble que j'ai entendu quelque chose sonner dans ma taie. « *Tank iou.* »

« Dernière maison », a dit papa. J'ai choisi d'aller sonner à la porte de chez mon amie au cœur petit, tout petit, petit, Luce. Je suis arrivée chez elle sans ma taie. Papa la tenait comme une poche de père Noël devant le trottoir de sa maison. Je pense que j'avais envie d'aller dormir. La porte était entrouverte et j'ai dit « iou hou ». La maman de Luce est arrivée tout de suite. « Tu en as mis du temps, Charlotte. Luce allait enlever son costume. » Je sais qu'elle s'est déguisée en princesse ou en reine, elle était pas certaine. Ça dépendait de la grosseur de sa couronne. Le petit jardinier souriait déjà à sa princesse quand elle est arrivée ! AAhhhhh ! Luce s'était déguisée en squelette ! Après les clowns, c'est les squelettes qui me font très très peur ! Je savais que c'était le squelette de Luce, mais je voulais partir quand même. Je l'entendais rire derrière les dents fermées et le nez en trou. J'étais trop fatiguée, vraiment trop fatiguée. J'ai pleuré. Luce riait maintenant de m'avoir fait peur. J'ai pas pris le sac de bonbons qu'elle me donnait et je suis allée rejoindre papa en courant. J'ai entendu sa maman m'appeler et Luce me dire de revenir, qu'elle avait enlevé sa tête de mort. Non. Je voulais même pas regarder et papa a été obligé de me prendre dans ses bras. J'ai grandi, moi, mais mes journées, pas.

Mon bateau était là avec des clowns et des squelettes sur le pont. Je me suis couchée sur le ventre pour pas les voir. J'ai mis la main sous mon oreiller pour toucher le dollar et trente-sept cents, trouvés au fond de ma taie.

* * *

Encore une lettre bleue aux rayures rouges et elle vient pas de mes sœurs. Il y a presque plus de feuilles dans l'arbre et le facteur m'a dit qu'il était content. Il a toujours peur de glisser sur celles qui sont éparpillées sur les trottoirs. Il dit que, quand elles sont mouillées, elles sont aussi glissantes que des pelures de banane.

Oh ! Un papillon orange ! On dirait qu'il est très très fatigué de voler. Il vole tout croche. Hon... plus ça va, moins il vole haut. Il vient de se poser pour se reposer au pied de notre arbre. Tout proche de la place où était tombé le petit oiseau mangé par le chat. Il se repose longtemps, le papillon. Je l'avais deviné. Il volait presque à reculons. Quand je serai habillée, j'irai voir s'il est encore là.

La lettre annonce qu'une cousine de papa, qui serait très très vieille, dans les gros cinquante, les 7, 8 ou 9, vient nous rendre visite. Maman s'est pris la tête à deux mains. Le courrier avait mis tellement de temps à arriver que la cousine venait nous visiter aujourd'hui même. Maman s'est pris la tête à deux mains parce qu'elle était pas bien coiffée. D'habitude, le vendredi, on va chez le coiffeur ensemble. Sauf si je vais chez Marianne ou chez Luce. Maman a téléphoné à son coiffeur pour annuler. « Heureusement que c'est vendredi, qu'elle m'a dit, on va manger un macaroni aux tomates et au fromage, une salade et une bavaroise. » J'ai dit heureusement moi aussi. C'est facile à faire et c'est bon. Plus que le poulet ou le rôti de bœuf.

Plus que les côtelettes. Mais pas plus que le steak suisse. Heureusement qu'on est vendredi. Pas de steak à acheter. Et moi, j'aime le macaroni au fromage que je sais faire par cœur. C'est pas moi qui le fais, mais je sais tout quoi mettre dedans. Des macaronis cuits, après les tomates et après que le macaroni est rouge, le fromage. Sel, poivre. C'est tout et c'est très, très bon.

Maman s'énerve. Elle a tout juste le temps de préparer sa bavaroise, de mettre la table pour le souper, de faire notre toilette, mes tresses et tenter de se placer les cheveux. « J'ai l'air d'une sorcière, le vendredi. » Moi, j'ai rien dit. C'est vrai qu'elle a l'air d'une sorcière le vendredi. C'est parce que le soir de la veille, avant de se coucher, elle se met plein de moelle de bœuf dans les cheveux ! C'est jaune et épais, et ses cheveux sont tout collés. Ensuite, avec un chapeau qui descend jusqu'aux oreilles ou un foulard carré de couleur, elle va chez le coiffeur. C'est pour ça que l'arrivée de la lettre bleue aujourd'hui, c'est pas vraiment une bonne nouvelle.

Moi, je suis très contente. On va avoir de la visite et j'aime bien avoir de la visite. Ma tante, celle qui enseigne en anglais et qui a un piano mécanique et des cymbales, va venir aussi avec mon oncle ! Ça va ressembler à un Noël sans neige. J'ai hâte. Maman a fait son possible pour sa tête et on a mis la nappe blanche sur la table de la salle à manger. Moi, je place les serviettes de table, blanches, sous la fourchette d'argenterie pour la visite. Notre vaisselle propre, celle des occasions, est rouge, dorée et blanche. C'est très très joli.

Je suis devant ma fenêtre parce que je dois dire à maman si le tramway est arrivé. Ça fait deux fois qu'on sort, parapluie à la main et qu'on surveille. Deux fois qu'elle est pas descendue. Moi, j'en ai profité pour aller voir si le papillon est encore là. Il est là ! Mais je l'ai cherché longtemps. Il bouge tellement pas que je pense qu'il va passer la nuit ici. Je reviendrai demain.

Je trouve qu'il fait déjà un peu noir quand on sort une troisième fois. Mr. toc Horn est là et Mrs. Horn nous salue au passage. «*Hélo, honnie.*» Elle va le rejoindre avec ses deux parapluies de jours de pluie. Et voilà Ernestine ! C'est sûr. Elle nous fait «je suis là, je suis là» de la main. C'est un drôle de nom, mais c'est pas de sa faute. Maman et moi, on va la rejoindre même si maman ne l'a jamais vue de sa vie. Ernestine, elle, sait bien que c'est nous. Et on s'embrasse sous les parapluies. Elle sent le savon plus que le parfum. Elle a des joues rouges et des cheveux bruns très très épais. Maman a 45 ans, les cheveux gris, et la cousine, une vieille cinquantaine et pas de cheveux blancs. Quand même, je comprends pas qu'elle puisse avoir des bébés et pas maman. Il faudra que maman me réexplique bien les cheveux blancs.

On arrive à la maison et Ernestine se penche pour enlever ses bottes. Moi, je vois quelque chose de si terrible que je me demande si elle est bien la cousine de papa ou un monstre déguisé en cousine. Dans sa tête, dans ses cheveux épais et bruns, il y a une couture grosse comme ça, qui part du milieu du dessus jusqu'au bout. Et maman est là, aussi aimable que ma marraine. « Excusez-moi, Ernestine, j'ai l'air de la chienne à Jacques. » Et elle ne cesse de se replacer les cheveux gras. Ernestine fait une espèce de gnhan qui ressemble à un bruit de monstre. J'ai trop peur. Je cours me cacher dans la dépense. Une couture dans la tête ! Une grosse couture brune.

Je pense que maman ne sait plus quoi faire de moi. Je ne veux pas aller dans le salon avec le monstre. « Va réfléchir », qu'elle m'a dit et elle m'a mise dans ma chambre. C'est rare que je suis en pénitence. C'est à cause du monstre, c'est sûr.

Papa est arrivé et j'ai entendu la porte. Je me suis réfugiée derrière sa jambe. « Attention, papa, c'est pas une cousine, c'est un monstre, je le sais. » Sans avoir été invitée, je suis retournée à ma chambre. J'aime mieux passer en dessous de la table que de manger avec la cousine même si ma tante que j'aime est là aussi. Mais je suis pas passée en dessous. Papa est entré et m'a dit : « On t'attend, tu te laves les mains tout de suite. » C'est toujours pareil, les papas sont plus sévères le soir. Je me suis lavé les mains et je me suis assise à table. Pas chanceuse, j'étais devant la cousine. En pleine face que je l'avais et je cessais pas de regarder ses cheveux. C'est que j'ai peur de ces cheveux-là, moi. Et on a commencé à manger une soupe. J'ai regardé maman les yeux en question. La cousine faisait en mangeant sa soupe le même bruit que celui qui me fait disputer ! Et maman ne disait rien et papa non plus. Mon oncle et ma tante non plus. Ça, il faudra qu'on m'explique. Quand on a mangé le bon macaroni, le monstre le faisait en claquant des dents. Moi, j'ai pensé qu'elle avait froid. « Avez-vous froid ? » que j'ai demandé. Papa et maman, en même temps, m'ont regardée, le nez pincé, la bouche serrée, les yeux sortis. Quand ils sont comme ça, je veux pleurer. Alors j'ai pleuré même s'il restait du bon macaroni. Maman m'a demandé de la suivre, juste avec un signe de tête. Je suis sortie de table en pleurant plus fort encore. Je voulais de la bavaroise, moi. Maman est entrée dans la chambre et a fermé la porte.

« Veux-tu me dire ce qui te prend ?

— J'ai peur de la couture sur la tête du monstre qui veut me mordre en claquant des dents. »

Nous, les enfants, on comprend quand il se passe quelque chose. On comprend même si on sait pas du tout ce qui arrive. Maman avait des yeux de colère et une bouche de fou rire. Je sais pas comment maman fait ça. Elle m'a dit rapidement, pour pas faire attendre, que la cousine avait pas de couture dans la tête.

« Oui, je l'ai vue.

— Non, elle porte une perruque.

— Une perruque ? Comme les clowns ? Est-ce que c'est ça qui la fait claquer des dents ?

— C'est parce qu'elle a des dentiers! Mal fixés.

— En plus ?»

Bon, maman riait un peu maintenant, mais moi, j'étais pas rassurée. Si la cousine était un clown déguisé, c'était pas mieux. Quant à ses dents, je suis sûre que c'est pour mieux me mordre, mon enfant, comme le loup du Chaperon rouge ! Maman m'a dit qu'elle me servirait un dessert immédiatement, dans la cuisine, si je voulais. J'ai décidé de rester à table et j'ai compté quatre fois vingt et plus le nombre de fois qu'elle a claqué des dents. Papa a compris mais pas la cousine. Maman, elle, m'a fait un clin d'œil. De l'œil gauche pour pas que la cousine le voie.

Mon bateau était au rendez-vous avec la cousine à bord. Je me suis retournée en la suppliant de partir. Quand j'ai ouvert les yeux, elle était plus là. J'ai soupiré de soulagement d'autant qu'on a annoncé de la pluie pour demain encore. Quand on annonce de la pluie, je dors toujours très très vite parce que j'ai hâte de me réveiller.

* * *

J'ai fait toute une surprise à maman. Ce matin, quand elle est arrivée dans la cuisine, les cheveux toujours en sorcière à cause du gras de moelle de bœuf, j'étais déjà sur mon fauteuil. J'étais déjà sur mon fauteuil, tout habillée ! Mais j'avais pas mis mes chaussures lacées. Juste mes chaussettes rouges. Je sais lacer les lacets sans nœuds. Ce matin ça donnait rien. Je vais jouer chez Luce ! Et il pleuvait comme me l'avait promis la météo. De toute façon, je serais allée. Maman a demandé à sa maman de me garder.

Maman m'a félicitée : « Veux-tu me dire ce qui s'est passé pendant la nuit ? Mon bébé a grandi ? » Moi, j'étais contente à moitié parce que je veux quand même être un bébé. Des fois. Contrairement à d'habitude, maman avait pas fait la vaisselle avant de se coucher. J'ai pu – je grandis très très vite par les temps qui courent – être installée sur une chaise à côté d'elle un linge à vaisselle dans les mains ! Elle a essuyé les verres de mous-se-li-ne toute seule. Dès que les assiettes sont arrivées, je les ai prises, une par une ! Toute seule. Et j'ai essuyé exactement comme je le fais quand je joue avec ma poupée ! Et j'écrasais la mousse et je tournais la main cachée dans le linge, en rond dedans. Et je les empilais sans trop les cogner. Et j'ai fait les ustensiles, sans me couper et sans me piquer. On écoutait les nouvelles à la radio et on parlait aussi. Moi, je voulais savoir comment on collait les perruques et maman m'a dit qu'on les collait pas. On les posait, comme un chapeau. Je voulais savoir comment on collait les dentiers. Maman m'a dit qu'on les collait pas non plus. Qu'on les ajustait.

« Comme mes chaussures ?

— Même principe que les chaussures. »

Si ça claque, c'est que les gencives rapetissent ! J'ai compris que les bouches, c'est le contraire des pieds. Les pieds allongent, les bouches rapetissent !

Je suis un peu fatiguée d'avoir essuyé la vaisselle. C'est pas que c'est fatigant pour les mains. C'est fatigant pour l'attention. Il faut que je sois attentive sans arrêt. J'ai décidé de me reposer un peu sur mon fauteuil avant de partir.

Tiens, voilà le laitier. Oh, non ! Il a un nouveau cheval. Peut-être que c'est juste pour aujourd'hui parce qu'il a le rhume. Ou qu'il a vomi toute son avoine. J'ai pas dit au revoir à l'autre, moi. On dirait que le nouveau sait pas que la haie est bonne à manger. Il la voit pas. Il a la tête cachée dans son sac d'avoine. C'est drôle parce que c'est un cheval noir et il a l'air d'avoir une perruque blonde, à cause de ça. Je pense pas qu'il claque des dents, lui.

Bon, je pars pour chez Luce en tenant la main de maman pour l'empêcher de tomber. J'ai appris ça de Mrs. Horn. Maman me quitte au coin de la rue pour aller chez son coiffeur. Elle dit qu'elle a presque honte d'y aller avec sa tête de sorcière. Comment est-ce qu'une maman aussi belle que la mienne peut penser qu'elle est une sorcière ? Elle a pas une seule verrue !

Aujourd'hui c'était très très amusant. On a joué à la poupée de papier à habiller et à déshabiller. Mais avant, grande permission. On a eu des ciseaux pointus ! J'en ai à la maison, mais pas aussi pointus. On a découpé et découpé et découpé. Toutes les robes et les chaussures et les chapeaux et les sacs. On a fait ça pendant très très longtemps. J'ai été maladroite et j'ai coupé les fleurs du chapeau à fleurs. Luce, elle, a coupé une manche ! On a bien ri. Tant qu'à y être, on a décidé que ce serait mieux si on coupait la deuxième. Ça paraît presque pas.

J'avais la poupée aux cheveux roux et la poupée aux blonds. Luce, elle, celle aux cheveux noirs et celle aux bruns. On s'est pas chicanées, mais presque. Luce voulait les deux poupées qui avaient les vêtements parfaits. Moi aussi c'est ce que je voulais. On a beaucoup discuté avec nos mains. À discuter des mains on a presque arraché les pieds de la blonde–la plus belle. La maman de Luce est venue la réparer avec le *scochetèpe*. Ça a un peu fini la chicane de mains. Chacune des poupées avait quelque chose de brisé. J'ai eu la blonde pour moi parce que j'étais la visite. Nos poupées de papier faisaient ce qu'on pouvait pas faire. Elles allaient à la plage et elles magasinaient. Luce jouait au ballon et elle courait derrière un tramway invisible pour aller à Montréal. « Oh, oh, je vais manquer mon tramway ! Monsieur, monsieur, attendez-moi ! » La poupée noire sautillait.

« Oh oh, je suis essoufflée, Paméla.

— Mais non, tu es pas essoufflée !

— Ah ! c'est vrai ! Je suis pas essoufflée et je cours très très vite. »

La sirène de la Waterman a appelé le monde à table. Ni Luce, ni moi, on a entendu. Oui, on l'a entendue, mais on a fait comme si non. La maman de Luce a dit qu'on pouvait continuer de jouer mais que les quatre madames de papier devaient passer à table. Les quatre madames nous ont invitées. On a mangé à six au restaurant de chez Dupuis Frères. On a mangé des hot dogs avec des carottes, des concombres et des piments doux et verts. J'en ai mangé un peu et mes deux dames en ont mangé beaucoup, beaucoup.

Maman est arrivée, toute bien coiffée. Elle avait jamais eu les cheveux aussi beaux. Ils étaient bleus ! La maman de Luce a rien demandé. C'est maman qui a dit qu'il y avait eu erreur de « do-sa-ge ». Elle avait pas l'air contente du tout. « Veux-tu me dire pourquoi tu tardes, dépêche-toi, on n'a pas toute la journée. » Moi, j'avais beaucoup de linge et de chaussures et de chapeaux à ranger dans la petite valise rouge de Luce. Je prenais tout mon temps aussi. Nos dames partaient en voyage. Il fallait rien oublier. « Grouille-toi. » Bon, il restait juste à fermer la valise.

« Va-t'en, je vais la fermer, moi.

— O. K. C'est pas fatigant, ça.

— Veux-tu me dire… »

J'ai rien dit. Maman me tenait la main. Je m'étais trompée de boutonnière et mon manteau était tout croche et mes belles bottes de plastique transparent même pas attachées.

« Ça a pas d'importance.

— Oui, ça en a…

— Non, nous sommes presque arrivées. »

J'ai cessé de faire le bébé. Je suis allée chercher mon papillon. Je l'ai trouvé. Il était devenu une feuille morte. Maman avait la bonne humeur très très fragile. Ça lui arrive de temps en temps. Je l'ai rejointe en courant. Moi, je la trouve très très belle avec ses cheveux bleus. Elle, je pense que non. Nous sommes rentrées et elle s'est lavé la tête au moins dix fois. Je pense que ses cheveux ont foulé. Après dix fois, ses cheveux, bien secs, étaient bleu ciel foncé. J'étais très très contente qu'ils soient encore bleus, un tout petit peu plus pâles, mais bleus. Maman, elle, toujours pas contente.

Je pensais qu'on ferait des lettres. Non, pas de lettres. Je pensais qu'on pouvait faire des recettes. Non, pas de recettes. Maman m'a rhabillée et elle aussi a remis son manteau. On est retournées au salon de coiffure. Par la main. Et là, devant moi et les autres madames la tête serviettée en Ali Baba, maman s'est fait couper les cheveux si courts que je voyais son fond de tête rose comme un bébé. J'étais presque gênée parce qu'elle avait les cheveux courts comme des cheveux de garçon. C'était comme si elle avait été mon frère, ma maman. Et sa bonne humeur était encore plus que très très fragile.

Quand papa est rentré à la maison, il l'a regardée et il a dit en riant : « Es-tu passée au feu ? » et moi j'ai répondu: «Non, au bleu.» Je pense que maman m'a pas trouvée drôle.

On est quand même allés à mon restaurant préféré, le *Garden*. Maman avait la larme à l'œil et moi, j'avais un appétit d'ogre de Poucet. J'ai été privée de dessert parce que je cessais pas de dire combien ses cheveux bleus étaient beaux comme des cheveux d'ange garçon. Je crois que papa s'est étouffé trois fois. Maman, elle, a chipoté dans son assiette comme j'ai pas la permission de faire. Quand on est sortis, papa a dit à maman: «Après vous, jeune homme.» Maman a marché tellement vite pour rentrer que papa et moi, on l'a perdue de vue même si les lampadaires étaient allumés.

* * *

J'en ai vu un ce matin! Il avait l'air perdu. Je pense qu'il se demandait où il était. Je suis certaine qu'il cherchait où se reposer, comme le papillon, en attendant sa famille. C'était un tout petit flocon de neige. Il a pas joué longtemps autour de notre arbre. Aussitôt qu'il a touché aux feuilles, pchuit! J'ai attendu et attendu pendant presque tout le temps qui va de mes céréales au commencement du trait prolongé de midi heure normale de l'Est. Tout à coup toute sa famille et ses amis sont arrivés. Il y en avait trop pour que je puisse les compter. Il y en avait beaucoup. Je rêvais déjà de faire une boule de neige, mais pas un seul est resté sur notre pelouse.

Ni chez les voisins. C'était des flocons enfants, ça c'est sûr. Des flocons parents auraient fait comme les oiseaux. Ils se seraient posés sur les branches. Ils auraient fait une maison. Bon, c'est pas aujourd'hui que je vais construire un fort. Ou faire un ange dans la neige. Ou un bonhomme. Ou je sais plus quoi. La dernière fois que j'ai vu l'hiver, j'avais 4 ans et ça fait longtemps même si 4 est le chiffre juste avant 5. Aujourd'hui, j'ai même plus que 5 ans et demi. Ça fait que je me souviens plus très très bien de tout ce que j'aime faire en hiver. C'est facile à comprendre.

Maman m'a dit que le mois de novembre était le mois des morts. Elle a même dit que c'était un mois triste. Un mois gris qu'elle aimait pas. Il faut que je la croie parce que j'ai jamais vu de morts de ma vie.

Moi, ce que je vois depuis ma fenêtre, c'est rien. Pas de feuilles, pas de fleurs, pas de gazon, pas de bicyclettes, pas de trottinettes. Je vois pas d'oiseaux sauf les petits moineaux qui battent des ailes, qui crient et qui sautent pour se réchauffer. Ils pensent que le soleil va revenir pour les aider. Ils font très très pitié, les moineaux. J'ai eu une bonne idée que j'ai dite à maman.

« Tu cesses de faire du pouding au pain et on donne tout le pain sec aux moineaux.

— Veux-tu me dire ce qu'ils t'ont fait, les moineaux, pour que tu veuilles te priver de ton pouding au pain ?

— Rien. Je trouve pas ça juste qu'ils aient pas de chauffage. »

C'est pas vrai. Je trouve ça triste un moineau qui a froid, c'est tout.

Hier, au souper, on en a parlé des moineaux. J'ai appris que tous les beaux oiseaux, les jaunes, les merles orange et brun, les bleus, les bleus et blancs et les rouges, partaient pour l'automne et l'hiver. Les canards partaient en même temps. Tous les beaux partent parce qu'ils peuvent mourir en hiver ! C'est comme si l'hiver était un gros chat blanc qui allait les manger. Je connais ça, moi, les chats qui mangent les bébés oiseaux sans plumes. J'ai aussi appris que les moineaux, eux, se débrouillent dans la neige. C'est pour ça que depuis hier, je les aime beaucoup les moineaux. Je pense même que dans toute ma vie je vais les aimer toujours.

Aujourd'hui, tout ce que je vois depuis ma fenêtre, c'est mes idées. Rien d'autre. J'ai les idées qui attendent. Peut-être que je pourrais aller dessiner chez Luce même s'il pleut pas. Peut-être bien que je pourrais aller jouer à la mère chez Marianne.

Tiens, la voisine ! Enfin quelqu'un à regarder. C'est pas son jour, pourtant. On est lundi, gris à part ça. C'est le mois des morts. Je lui trouve mauvaise mine à la voisine depuis au moins l'Halloween. Elle marche un peu comme un cow-boy. Pouf, pouf. Aujourd'hui, elle emmène son René. Le chanceux. Il est sorti de sa maison, lui. Oh la ! Ils viennent ici. « Maman, la voisine et son garçon sont devant la maison. » Elle me répond qu'on l'attendait. Moi, j'attendais personne.

J'ai aidé à lui enlever son manteau. Il est plus petit que moi, c'est sûr. Et sa casquette à rabats sur les oreilles. Pas ses bottes parce que sa maman lui en a pas mis. Il a toujours ses bottines, lui, parce qu'il a encore 3 ans. Il vient passer tout l'avant-midi avec moi ! Tout, jusqu'après la soupe et le sandwich et le trait prolongé. Et il a apporté ses camions et ses voitures et, surtout, surtout, son jeu de Minibrix ! Il peut jouer tant qu'il voudra avec ses autos. Moi, je prendrai le Minibrix ! Il a un peu pleuré quand sa maman est partie prendre son tramway. Je lui ai dit : « Pleure pas, René, toi et moi, on va jouer ensemble presque toute la journée. » Il serait le petit garçon qui conduit sa voiture et ses camions et moi, sa maman. Je serais très affairée à lui construire un beau garage de Minibrix.

René a été un si gentil petit garçon que j'ai pas vu le temps passer. La première chose que j'ai sue, on était à table à manger une bonne crème de maïs et un bon sandwich au jambon haché. Je savais pas que maman en faisait. J'aurais aimé l'aider. En tout cas. Prochaine fois. Le mien était à la mayonnaise. Celui de René à la moutarde. Moi, la moutarde, c'est juste pour le rôti de porc.

La première chose que j'ai sue, la cloche sonnait et sa maman était revenue. Elles ont été si gentilles nos mamans que René et moi on a pu jouer encore. Les mamans, elles, jouaient aux mamans qui se font un thé avec des biscuits secs. Marianne et moi ou Luce et moi, on joue souvent à ça aussi.

René a pas pleuré, moi non plus. René parce qu'il s'était endormi sur le tapis et que je l'ai pas dit. Moi, parce que j'ai eu la permission de garder le jeu de Minibrix jusqu'à ce soir ou demain. Peut-être que maman va comprendre que c'est ce que je vais demander au père Noël.

La voisine est repartie, René dans les bras. Maman a dit :

« Vous êtes certaine que vous voulez pas que je le porte ?

— Non, non », qu'elle a répondu.

Moi, je trouve qu'elle a des problèmes de tête. On dirait qu'elle tombe par en arrière et son ventre, lui, pousse par en avant. Si ça continue, elle va être aussi grosse que le papa patapouf booing. Je la reconnais presque pas. La voix, oui. En partant, elle m'a dit : « Tu vas voir, on va avoir un beau printemps. » Il faudrait que maman regarde si elle a la langue blanche. Quand on a la langue blanche, on a la mauvaise haleine qui vient avec. Quand on a la langue blanche, d'habitude, on met le thermomètre sous sa langue et il faut pas croquer. Maintenant que j'ai 5 ans, j'ai le thermomètre de toute la famille. Avant, j'avais un thermomètre juste pour moi. Un thermomètre à fesse et à vaseline.

L'hiver est pas encore arrivé. Les flocons fondent et elle me parle du printemps, la voisine. Dehors les flocons meurent de chaleur et les sapins de Noël sont pas encore arrivés.

* * *

Il m'arrive une chose incroyable. Aujourd'hui, avec maman, je vais voir une morte. Une vraie morte. En plein mois de novembre des morts. Pas un squelette comme celui que Luce portait à l'Halloween pour me faire peur. Non. Une madame morte qui était très très vieille. Je la connais pas du tout. Maman me dit qu'elle, oui. Que c'était une parente de sa fesse gauche. Je savais pas qu'on avait de la parenté par les fesses. Maintenant je sais.

C'est vrai que dehors c'est novembre gris. Mon manteau m'attend sur le bras de mon fauteuil. Mon manteau neuf et beau. Pour remplacer celui qui me serrait de trop près. Un manteau en fourrure jaune doré de loup-marin. Papa me l'a apporté hier et j'ai dormi avec. Dans mon lit. Là il m'attend, mon manteau, endormi sur le fauteuil. Je lui ai fait passer une nuit blanche à force de le doucer et de le serrer dans mes bras. C'est un vrai manteau-toutou.

Il est tout neuf. Je suis la première petite fille à le porter. La première de sa vie ! Pas mes sœurs avant moi, non. Moi, la première. Ensuite, quand j'aurai grandi plus vite que le loup-marin, maman va certainement le donner à une cousine. Elle va l'emballer dans une boîte usée de chez Dupuis Frères ou de chez Simpson's. On va partir ensemble jusqu'au bureau de poste. C'est moi qui vais coller les timbres avec ma salive. Mais je veux pas vraiment le donner. Ce soir en me couchant, je vais cesser de grandir. C'est ce que j'ai décidé, hier. Je veux plus grandir parce que je veux avoir mon manteau pour moi toute seule tous les hivers de ma vie. Tous les hivers de ma vie de petite fille.

Maman se fait une toilette du dimanche même si c'est le jour du boulanger. On va déjà être parties quand il va arriver. Maman et moi on va prendre un autobus qui va nous emmener loin, loin, loin. Ça va être une longue journée fatigante, qu'elle m'a dit. Comme c'est la semaine, notre voisin serviable pourra pas venir nous conduire. Il travaille, la semaine. Alors maman va téléphoner à Roméo taxi au OR-1-4444 ! Et lui, monsieur Roméo, va venir nous chercher ! Et on va traverser le pont Victoria. Et on va arriver au terminus des gros autobus !

Je sais que la morte est dans un cercueil, quelque part à la campagne. Je me souviens plus où. Mais c'est très très loin. Et les cercueils, on les met dans les salons. En tout cas, c'est ce que maman m'a dit. J'ai très très hâte de voir à quoi ça ressemble une morte. Et pas parce que c'est le mois des morts. Non. Parce que, je sais pas pourquoi. Peut-être parce que j'ai hâte de voir à quoi ça ressemble une personne qui respire plus.

En attendant que maman ait fini sa toilette, je bouge pas trop. Il faut pas que je me salisse ou me froisse. Il faut pas que je me tache non plus. Je pourrais pas me tacher. Je grignote jamais le matin, moi.

J'ai bien compris que pour aller au salon, il faut être propre. J'ai ma deuxième plus belle robe. La plus belle, je la garde pour Noël. Je porte quand même mes chaussures à courroie en cuir *patent* noir. J'ai pu mettre mes petites chaussettes neuves avec des fleurs brodées dessus. Maman m'en a acheté une nouvelle paire après la fête de Marianne. Mes jambières de cuir sont déjà mises et attachées. J'ai chaud des jambes. J'ai froid des bras parce que j'ai une robe à manches courtes.

Maman met autant de temps qu'avant la messe du dimanche ce matin. Ça veut dire qu'elle va parler poli aussi. Ça vient avec. Moi aussi d'abord, je vais parler poli.

« Maman, monsieur Roméo est arrivé ! » Je l'entends se brosser les dents en même temps qu'elle me dit d'enfiler mon manteau. Je l'ai déjà mis. Je suis capable de le boutonner au complet. Toute seule. J'ai même déjà le gant de la main gauche. Pas le droit. C'est plus difficile à mettre.

La journée est pas fatigante du tout. J'ai dormi tout le long. Je sais pas pourquoi. Les aiguilles de la montre de maman ont bougé. On est presque rendues à l'heure du trait prolongé quand la chaîne du trottoir râpe les pneus de l'autobus qui « squiquent ». Il y a deux madames qui nous attendent et qui disent à maman qu'elle est bien fine d'être venue et bien bonne de m'avoir emmenée avec elle. Puis elles me tirent sur la tête pour la monter jusqu'à leur bouche pleine de rouge qui dépasse. Je veux remonter dans l'autobus et rentrer à la maison, mais il est parti. Une chance que maman me tient la main.

Tout le monde m'a menti. On est pas dans une maison, il y a pas de cuisine, pas de salle à manger et pas de salon, du tout. Je comprends pas pourquoi on m'a dit qu'on allait dans un salon. Une des fesses gauches a voulu que j'enlève mon manteau. J'ai dit non. Maman a fait un petit signe de la main. Je comprends tout quand elle parle des mains. Là elle vient de dire : donnez-lui le temps, elle va l'enlever plus tard. Non, je l'enlèverai pas.

Ça sent drôle, ici. Ça sent le parfum en pchuit pchuit comme celui de ma marraine. Celui de ma marraine sent meilleur. C'est plein de fleurs du modèle de la boîte de lait Carnation. J'aime pas ces fleurs-là. Elles ont même pas de feuilles. Maman en sème jamais dans notre jardin. Je pense qu'elle les aime pas non plus.

J'ai envie de pleurer, j'aime pas ça ici. Maman parle poli à tout le monde et tout le monde répète les mêmes choses.

« Elle a pas souffert. C'est mieux pour elle, quand même. C'est bien jeune, quand même. Ça nous surprend, quand même. J'étais avec elle la veille.

— Moi le matin.

— Ah ! bon ? Quand même, je savais pas. Avoir su... »

Dès qu'on bouge pour parler à une nouvelle personne, ça recommence. « T'es arrivée quand ? T'es là pour longtemps ? T'es bien bonne d'avoir amené la petite. Tu pars quand ? Ha ! Après les funérailles. Déjà ? Tu vas prendre un petit sandwich avec nous autres quand même ? »

Sans m'en rendre compte, on est arrivées juste à côté du cercueil. Comme je suis petite et que la morte est couchée dedans, je vois pas grand-chose. Un monsieur à cheveux collés, aux dents noires et aux doigts jaunes me prend dans ses bras et me dépose directement sur le prie-Dieu. Je la regarde, la morte endormie. Je la regarde et la regarde. Non, elle respire pas du tout. Même pas un petit souffle entre ses lèvres. Ses yeux sont collés de nuit trop longue. Son nez est pincé. Ça doit être pour ça qu'elle respire pas. Ses narines doivent être collées dans le mucus. Elle a une robe de velours brun avec un col de dentelle blanche pas mal froissé. Elle a pas de cheveux blancs. Même pas vraiment gris. Ça, ça m'inquiète. Je sais pas pourquoi, mais ça me fait peur. Est-ce qu'elle pouvait encore avoir des bébés ? La parente de la fesse gauche qui est morte et endormie, c'est une vieille ou pas ?

Je pense à ça très fort quand j'entends : « Embrasse-la donc, ma belle Charlotte. Pis dis-y d'embrasser le bon Dieu pour toi ! » Je fais non de la tête, mais on dirait que je sais pas comment me sauver. Je l'ai embrassée. J'ai embrassé la mort de la morte endormie. J'ai embrassé une joue raide.

J'ai embrassé une joue froide comme mes joues en dessous des cordons de mon chapeau d'hiver. Et je l'ai vue ouvrir un œil pour voir qui l'avait embrassée. Je l'ai vue !

Maman m'a fait descendre du prie-Dieu et je l'ai entendue chuchoter : « Veux-tu me dire ce qui leur est passé par la tête ? » J'ai regardé la morte endormie. Elle avait refermé son œil.

Aux funérailles, maman a pas voulu marcher derrière le cercueil avec la famille des deux fesses. Elle s'est assise dans le dernier banc avec moi. Elle m'a pas redemandé d'enlever mon manteau. Je l'ai jamais enlevé de la journée. C'était long. « *Re qui est-ce quatre ans pas chom.* » Ils ont chanté ça triste. Mais beau.

Les mêmes madames nous ont reconduites à l'arrêt d'autobus tout de suite après les sandwiches, les carottes et le céleri. Un vrai lunch de fête. J'ai mangé proprement parce que je voulais pas salir mon manteau.

Je me suis endormie sans faire exprès dans l'autobus en douçant mon manteau pour l'endormir. Il faut pas qu'il ait peur. Si j'avais pu voir mon bateau, c'est sûr que je l'aurais fait sortir, la morte, sur le pont. C'est sûr que je lui aurais mis un œil de pirate sur son œil ouvert. Je me demande ce qu'elle a pensé de mon beau manteau, la morte endormie. « *Re qui est-ce quatre ans pas chom.* »

L’hiver

J'ai plus 6 ans que 5. J'aime l'hiver parce que c'est le silence blanc partout. Avec mon manteau-toutou jaune, j'ai presque l'air d'une fleur. J'aime l'hiver parce que je fais le ménage dans mes jouets pour être comme un petit lutin qui porte des paniers de Noël. J'aime l'hiver parce que je peux voir tout un village avec ses trains et ses bonshommes au sous-sol de chez Taylor's ! Il y a qu'en hiver que je suis plus grande que les maisons !

Là c'est vrai. Noël approche mais on est dans l'avent Noël. Chez Marianne il y a un beau sapin qui sent le sapin. On dirait qu'il a peur avec ses branches toutes par en haut. Tous les enfants chez Marianne, moi aussi, on a fait des décorations. Très très belles. Des bonshommes de neige, des boules de papier mâché, des étoiles. On a travaillé très très fort. On a fait plein de très belles décorations. Chez nous, Noël va arriver plus tard. Il attend le train de mes sœurs.

J'ai demandé à maman ce que je devais faire pour aller chez Luce parce que la pluie pleuvait plus. Maman a eu une bonne idée. Et si on l'invitait, dans ma maison, pour faire des pains d'épice avec nous ? J'ai dit oui en sautant et maman a téléphoné à sa maman. « Non ? Elle ne peut pas venir ? »

Je cours vers mon fauteuil pour être triste. J'enfile mon manteau pour le consoler. Maman me rejoint et m'explique que parfois, dans la vie, on peut pas tout avoir. Je comprends pas très bien ce qu'elle veut dire par ça. C'est pas tout avoir qu'avoir Luce une fois chez moi. Je suis retournée chez Marianne avec un sac plein de cocottes collantes que j'avais ramassées sur le terrain de mes voisins d'en face. Mes voisins comme grands-parents. Mes voisins à la haie mâchouillée par l'ancien cheval du laitier.

C'est Marianne qui m'a invitée à faire des décorations de Noël et à dîner. J'ai dit « oui, oui » et je suis arrivée presque tout de suite. Sa maman a fouillé dans le sac des vieilles cartes de Noël et nous a apporté toutes celles qui avaient des beaux brillants dorés jaunes et dorés blancs. On les a toutes grattées sur un papier ciré et on a roulé les cocottes dedans. Elles sont tellement belles qu'on les a posées sur les branches du sapin. C'était comme ses vraies cocottes avec leur belle robe de Noël !

Juste avant de m'asseoir à la table de cuisine, j'ai vu Luce, dans sa cour, avec sa maman qui essayait de faire un bonhomme de neige. Luce la regardait. Je pense que la neige était pas une bonne neige à bonhomme. Sa maman pouvait même pas faire une boule qui avait l'air d'une boule. Je pense que Luce s'amusait pas. Le vide qui va de mon cœur au nombril est revenu et j'ai dit que j'avais changé d'idée et que je mangerais pas chez Marianne même si c'était des macaronis. Je voulais rentrer à la maison. C'est ce que j'ai fait.

J'ai bien fait. « Ah ! Elle pourrait venir après sa sieste ? Vous allez me l'amener à deux heures et demie ? Nous sommes bien contentes. À plus tard. »

J'ai recommencé à sauter sur mon fauteuil devant la fenêtre. Vraiment, j'aime l'hiver blanc. Quand Luce est arrivée, elle était gênée comme c'est épouvantable. Maman nous a invitées à passer dans la cuisine. Luce a préféré rester dans la porte pour nous regarder faire. Elle est jamais rentrée. C'est tout juste si elle a accepté de regarder les petits pains d'épice quand maman a ouvert la porte du four. On les a mis sur le comptoir pour les faire refroidir. Pendant ce temps-là, Luce et moi, on a collé des petits bonbons à gâteau sur les cocottes qui restaient. C'est bien les cocottes. Elles sont pleines de colle. C'était très très beau et Luce en a apporté à sa mère avec les pains d'épice. Finalement elle a demandé à partir avant même qu'on prenne notre collation. Maman et moi, on est allées la reconduire et dès qu'on est arrivées devant sa maison, je me suis laissée tomber dans la neige pour faire un ange. Luce a fait pareil et la porte de sa maison s'est ouverte. Il a fallu qu'elle entre « tout de suite » parce qu'elle était pas assez habillée ! C'est vrai qu'elle avait pas un bon habit pour ça. On était toutes les deux tristes. On voulait faire plein d'anges sur tout son terrain. Des anges blancs comme ceux accrochés au-dessus de la crèche.

Maman et moi, on est rentrées. Des fois, je trouve que des amies c'est compliqué. Maman m'a souhaité bonne nuit en me rappelant que dans moins de trois semaines mes sœurs seraient revenues du pensionnat pour les fêtes. Je l'avais oublié. Pas tout oublié. Juste oublié de compter les nuits avant la sainte nuit. Juste oublié que toute la maison allait recommencer à parler et rire en anglais. Maintenant que j'ai grandi, je me souviens que mes sœurs parlent en anglais. Est-ce qu'elles vont me dire « *hélo, souite hat. Ha ware iou honnie* » ?

Les voisins d'en face ont apporté un énorme sapin gelé à faire dégeler. J'ai sonné à leur porte pour les aider. Je suis une bonne faiseuse de sapin de Noël ! Ils ont dit : « Pas tout de suite, reviens donc demain, Charlotte. » Je suis rentrée à la maison pour m'installer à la fenêtre en attendant demain.

* * *

La voisine est revenue de sa journée de sortie. Elle a vraiment pas l'air bien avec sa tête comme dévissée qui se tient par en arrière et son ventre de patapouf. Ali Baba est drôlement arrangé quand c'est l'hiver. Il porte des cache-oreilles avec un ruban de métal qui les tient comme des pompons sur ses oreilles. Le ruban lui tombe derrière le turban, sur le cou. Même s'il vient d'un livre, il faut ce qu'il faut pour qu'il ait les oreilles chaudes, Ali. Il faudrait juste pas qu'il se fasse couper le cou. Maintenant, quand il passe devant ma maison, il tourne la tête et me fait un petit signe de la main. Depuis le temps qu'on se connaît, on est devenus des amis. Pas des amis à jouer, non. Pas des amis à parler non plus. Des amis à rue. C'est ce qu'on est. Et comme il sait que je suis presque toujours assise devant ma fenêtre, il me fait des allô !

Là, je vois une drôle d'affaire. Un monsieur que je connais pas marche de l'autre côté du trottoir en zigzagonale et on dirait qu'il a glissé. Il est tombé comme ça, le visage dans la neige et le sable. Et il a plus bougé ! Un bras au-dessus de sa tête, l'autre collé sur sa cuisse. Il doit se demander comment faire pour se relever. Il bouge pas, le monsieur. J'attends, j'attends, j'attends. Il doit commencer à avoir froid. J'attends encore deux chansons de la radio que maman écoute puis je l'appelle. « Maman, il y a un monsieur qui est tombé la tête dans la neige depuis plus que deux chansons. » Ma maman est pas curieuse. Quand elle était petite, elle était petite. Maintenant qu'elle est grande, elle est grande. Mais dans le milieu, elle était une garde-malade. Elle est arrivée, a jeté un coup d'œil, m'a dit de pas bouger et de la regarder par la fenêtre. Je l'ai regardée pendant qu'elle se penchait pour le réveiller. Je l'ai regardée quand elle a enlevé sa mitaine pour lui tenir le poignet ou lui serrer la main de politesse. Je l'ai surveillée quand elle est entrée en courant dans la maison. Je l'ai entendue quand elle a téléphoné aux policiers. Là, ça a commencé à être excitant. Les policiers sont arrivés et maman les attendait. Ensuite j'ai vu une ambulance grise avec une lumière rouge prise dans un morceau de métal doré blanc. Ils ont couché le monsieur et lui ont mis une couverture avant de le laisser dormir dans l'ambulance. Puis tout était f-i fi n-i ni, fini. Il est allé dormir ailleurs. Maman m'a dit qu'il avait trop bu, le monsieur.

Quand je me suis couchée et que j'ai vu le monsieur, endormi sur le pont de mon bateau, il me semble avoir entendu maman dire à papa que c'était triste de partir comme ça. Je sais pas pourquoi elle a dit ça. Il est parti couché et bien au chaud, le monsieur. En tout cas, c'est ce que moi, j'ai vu. Sur mon bateau, je sais qu'il ronflait parce que j'entendais roooooon, pitchou.

* * *

Maman m'a dit: «Viens faire un tri.» Ça veut dire «viens faire le ménage dans tes jouets». C'est ce que ça veut dire. Hier, je voulais mettre mon beau petit carrousel rose en plastique mince et mâchouillable dans le panier de Noël. Aujourd'hui, j'ai fait une bêtise. J'en ai mâché trop de morceaux. Ça paraît. Je vais être obligée de le garder. À la guignolée, on donne des sous et des cannages. Dans les paniers, des vêtements propres et repassés parce qu'il «faut toujours que le linge qu'on donne soit propre, bien repassé et plié comme pour une valise». Sauf que là on fait le contraire. On arrache les noms que mes sœurs et maman avaient écrits à l'encre de Chine. Quand on donne les chemises de papa, maman les plie très très bien et les replace dans les sacs bruns du nettoyeur. On donne jamais de chaussures. Maman dit que ça briserait les pieds des enfants qui les porteraient. Je comprends pas trop pourquoi on se brise les pieds avec des chaussures. Je pensais que c'était quand on avait pas de chaussures que ça faisait mal. On donne les bottes de caoutchouc, les bottes de pluie, les claques et tout ça. Pas les chaussures, les pantoufles, oui! Parce que c'est mou et que ça peut pas briser les pieds sauf si les orteils veulent dépasser par en avant.

C'est ce que j'ai compris en faisant la boîte que notre famille va préparer pour les pauvres qui manquent de tout. Maman veut pas que je dise qu'ils ont rien. Elle dit qu'il leur manque certaines choses, c'est tout. Moi, si j'avais pas de chaussures, ou de chaussettes, ou de petites culottes même, je voudrais pas sortir de ma maison. Surtout en hiver.

Aujourd'hui, on ferme la boîte et on attend qu'un monsieur vienne nous chercher, maman et moi. C'est difficile de fermer la boîte. Je vois toujours quelque chose que je veux garder. Je veux garder le batteur à œufs, mais maman le donne. Maintenant, elle a un malaxeur Sunbeam et c'est plus facile pour les gâteaux et la crème fouettée. Mais moi j'aime le batteur à œufs avec une poignée. Pour mon carrousel, c'est plus donnable, je le garde. Mes jambières de cuir me font encore, mais maman dit que ce sera leur dernier hiver. Pourtant j'ai décidé de cesser de grandir. Je pense que mes jambes en ont pas entendu parler. Il y a même des rideaux dans la boîte. Pour la cuisine de la famille où on va.

J'attends et j'attends et tout à coup, je me souviens que j'ai oublié quelque chose. Le sapin des voisins ! Je leur ai préparé des décorations très très belles et facile à faire. J'ai pris des rouleaux de papier de toilette. Et dessus, j'ai collé les vieilles cartes de Noël. Et j'ai mis une ficelle rouge de boucher pour les accrocher aux branches. J'en ai trois belles décorations. Maman a dit : « C'est intéressant. » Elle aurait mieux aimé que je fasse les dessins toute seule. Moi, je suis pas encore capable de faire des traîneaux. Des chevaux non plus. Pas plus que les anges, sauf ceux que je fais dans la neige avec mes bras et mes jambes. Les étoiles, ça va. C'est facile bébé. Il faut juste prendre des craies et des crayons jaunes.

Je sais pas vraiment quoi faire. C'est sûr de sûr que les voisins font le sapin aujourd'hui. C'est sûr de sûr qu'on va porter nos boîtes aujourd'hui aussi.

J'attends. Maman m'a dit que quand on sait pas quoi faire, on attend. Et on réfléchit. C'est mieux que de faire des bêtises. Je ferme les yeux et je pose la tête sur le dossier du fauteuil. Je réfléchis. Je réfléchis et je réfléchis encore quand on sonne à la porte. Le monsieur à la *station wagon* brune et bois est arrivé.

En moins de deux, on est dehors mais moi, dans mes mains, je tiens mes belles décorations. Je pensais aller les porter aux voisins quand le monsieur m'a dit: « T'es donc bien fine de leur apporter des décorations de Noël. » Moi, je regarde maman qui fait un petit oui de la tête et un sourire de la bouche. Bon, les voisins vont être très très tristes, mais les pauvres, contents, c'est certain.

J'avais jamais vu une maison de pauvres. C'est pareil pareil à une maison de riches. Un évier dans la cuisine, une table, des chaises, des cadres sur les murs. Sauf que c'est comme moins beau. L'évier de la cuisine est taché, il y a pas de robinet d'eau chaude, la cuisine est petite, la famille est grande et les cadres, c'est des calendriers découpés en cadres. Il y a un crucifix, une image de la mère du Jésus et un beau rameau sec.

J'ai pas tout vu. J'étais gênée d'être là parce que je savais pas quoi dire. Je savais pas quoi dire parce que dans les bras de la maman, il y avait un bébé ! Un bébé tout neuf de six jours ! Et il buvait du lait. C'est une bonne chose parce que dans la maison, il y avait aussi une fournaise et un tuyau au plafond ! Dans ma maison, la fournaise est dans le sous-sol. Pas ici. On la montre, la fournaise, même si elle est pas belle, belle. Et, je vous prie de me croire, il faisait chaud à mourir ! La maman nous a expliqué qu'elle tenait ça à la même température que dans son ventre. Maman a dit : « Vous devez aimer l'été. » Elle aimait pas l'été, la maman, mais elle a dit que c'était pour que le bébé soit bien. Qu'est-ce qu'elle veut dire ? Elle met le bébé dans son ventre ? Non, c'est sur son ventre. Elle s'est trompée.

Ils ont été très très contents de recevoir tout ce qu'il y avait dans la boîte. Les enfants riaient et criaient de plaisir en sortant les deux serviettes pas pareilles. Je comprends pas qu'on soit si content de se laver. La maman nous a dit que, maintenant, ils en auraient chacun une.

Je comprends rien des pauvres, moi. Ils ont tout et rien. Je sais pas pourquoi. Quand j'ai commencé à regarder les enfants, le bébé, les petits, les moyens, les grands, j'ai eu le vide. Le même que toujours entre le cœur et le nombril. Ça, quand j'y pense, ça veut dire que j'ai pas les mots pour dire. Puis je sais pas quoi dire non plus. J'ai juste un creux et j'aime pas ça. J'avais très très hâte de partir quand on est sortis de la maison.

Juste à côté de la porte, il y avait la poubelle, et dans la poubelle j'ai vu mes trois très très belles décorations. Ça m'a fait autant de peine que mes beaux rubans de cimetière que maman avait jetés, elle aussi. Je pense que mes décorations étaient tombées du comptoir parce qu'il est croche. C'est sûr. J'ai pas osé les reprendre pour leur redonner ou les rapporter pour mes voisins. Mais, j'ai pas compris pourquoi, en sortant, je pleurais un petit peu dans mon nez qui coulait. Pas beaucoup, un petit peu. Peut-être à cause de mon creux qui a pas de mots. C'est tout.

C'était vraiment la journée des pauvres parce qu'on a aussi eu la guignolée dans l'après-midi. Ça c'est quand on fête les pauvres avec les cloches et les chansons. La guignolée, la guignolée ! Je me suis installée dans mon fauteuil et j'étais plus triste du tout ! Je les ai entendus venir même si les fenêtres étaient fermées ! C'est dire comme ça clochettait et que ça chantait fort. Maman riait et disait qu'ils « s'égosillaient à tue-tête ». Moi je trouvais qu'ils répétaient toujours les mêmes mots, mais c'était la fête de l'avent ! Ils ont dit merci et m'ont demandé si je voulais aller avec eux sonner aux portes. « Non, merci. J'aime pas ça sonner aux portes, pour les petits nègres ou pour les pauvres. » Je m'en souviens même si c'était l'été d'avant l'automne. Maman m'a regardée avec sa bouche de poisson rouge. Je pense qu'elle a fait semblant de rire. Dès qu'ils sont partis, j'ai été obligée de réfléchir aux choses pas toujours bonnes à dire. Dans ma chambre.

J'y étais encore quand papa est rentré du bureau. C'est pas parce que ma punition a été longue, non. C'est parce que je me suis endormie la tête dans la poubelle des pauvres, juste à côté de mes cadeaux. Il faudra qu'on m'explique ce qu'on peut donner et ce qu'on peut pas donner. Peut-être que je vais comprendre quand je vais avoir au moins 11 ans. Peut-être jamais ! Peut-être que j'aurais pas dû croquer dans mon carrousel rose pour le garder.

* * *

Dans quatre dodos, mes sœurs vont revenir. Aujourd'hui, j'ai hâte. Hier, pas. Je suis habituée, maintenant, d'être toute seule avec maman. Tous les jours, on fait des lettres. Je les sais toutes, mais pas en majuscules. Toutes, oui, même s'il y en a qui sont plus belles que d'autres. Par exemple, je mêle un peu le G et le Q. J'ai du mal avec le K, mais surtout, surtout, le X. Ils sont pas beaux, mes X. Maman dit qu'elle veut pas me montrer les majuscules.

« Pourquoi ?

— Pour que tu les apprennes à l'école. » Il faudra qu'elle m'explique pourquoi elle m'a montré les minuscules, d'abord.

Tiens, une autre ambulance dans ma rue. Je sais pas qui elle a trouvé sur le trottoir. Ma fenêtre est pas assez grande. J'ai pas vu de voiture de police non plus. Mais l'ambulance a ralenti devant ma maison, puis celle des voisins, puis celle du ministre, puis j'ai plus vu.

Aujourd'hui est un jour très très spécial. Je vais dormir chez Marianne ! Dans son lit, avec mon pyjama. Je lui ai pas dit, mais je vais aussi dormir avec mon manteau-toutou. Je voudrais pas qu'il ait peur tout seul dans le vestiaire. J'aurais aimé ça que Luce vienne aussi, mais elle peut pas. Pas parce qu'elle peut pas, mais parce que la maman de Marianne a dit qu'on manquerait de lits ! C'est vrai ça !

La surprise des surprises, c'est que chez Marianne il y a maintenant un chien ! Comme toujours, Marianne est la chanceuse. Elle a déjà un tricycle à chaîne que j'ai pu prendre quatre fois seulement à cause de la justice pour ses sœurs, trois sœurs, évidemment, une belle télévision et maintenant, un chien beige. Un épagneul avec des oreilles trop grandes, une queue trop petite, qui jappe tout le temps et fait des pipis partout ! On joue à les chercher. Quand on les trouve, on colle des anges sur une feuille. C'est comme une chasse au trésor. Si par chance on trouve un petit caca mou, on a deux anges. J'en ai pas trouvé un seul.

Je pense que le chien a cessé de nous aimer quand le bébé lui a marché sur une oreille. Depuis, il se cache. La maman de Marianne nous a dit : « Laissez-le tranquille. » Nous on veut jouer avec lui. Lui mettre des robes de poupées, ou un chapeau à rubans. Comme on fait quand on joue à la mère.

La maman de Marianne nous a dit : « Mé, mé, mé, si vous n'obéissez pas, il va falloir jouer au sous-sol. » Jouer au sous-sol, pour moi, c'est une récompense, pas une punition ! Dans le sous-sol de chez Marianne, là où vivait le petit garçon qui lui a mordu le nombril, il y a une presque vraie maison avec une grande pièce, une salle de douche et une cuisine ! On est descendues et on a décidé de jouer à la mère. Sa petite sœur était mon bébé, et une autre plus petite sœur, celui de Marianne. J'aime jouer à la mère avec des vrais bébés. On les habille, on les déshabille, on leur donne des vraies bouteilles remplies d'eau. Je suis tellement comme une maman que je mets à mon bébé des vraies couches avec des vraies de vraies épingles piquantes. Je lui demande de boire beaucoup pour faire pipi parce que je veux changer la couche. Et je la pique pas.

Marianne a eu la bonne idée de chauffer l'eau des bouteilles. Dans la maison, il y a un tout petit poêle à deux ronds comme des ressorts. On est des vraies mamans. L'eau s'est mise à bouillir dans la casserole et Marianne a mis la main sur la bouteille. Elle s'est brûlée. Elle a eu une autre bonne idée. Elle a pris de l'ouate pour sortir la bouteille par la suce. Mais l'ouate est tombée et là, un vrai film de guerre avec des petites filles qui crient: « Au feu ! Au feu ! » – pas Marianne et moi – et qui courent partout. Et là, le feu s'est excité et a commencé à brûler le mur ! Marianne a trouvé une casserole trouée. C'était pas bon. Elle a trouvé une autre casserole. Finalement, on a éteint. Comme des vraies mamans. Sauf que la maman de Marianne est arrivée à la course. Abracadabra ! Comme si elle nous avait jeté un mauvais sort, on a cessé d'être des mamans et on est redevenues des enfants qui se sont fait disputer, je vous en passe un papier.

À vrai dire, j'ai eu très, très peur. Peut-être que c'était la peur de ma vie. Une chance que Marianne connaissait la cachette des casseroles, parce que moi, je brûlais. Sa maman a crié que c'était un mur de *tantess* et que c'était comme du carton. C'est pour ça que ça brûlait si vite.

J'ai plus joué avec les sœurs bébés ni avec le chien qui avait été mis dans le cabanon en pénitence, lui aussi, à cause de ses pipis. Quand on s'est couchées, j'ai cherché mon bateau sur le mur de Marianne, mais je pouvais pas le voir. Même si je m'étais brossé les dents, que j'avais mon pyjama à moi et mon manteau-toutou, la nuit me reconnaissait pas. Mon capitaine non plus. J'ai commencé à penser à papa et à maman. Moi, j'étais bien, mais eux… j'en savais rien. Je pense qu'ils devaient s'ennuyer de leur petite fille.

Je sais pas comment c'est arrivé, mais j'ai commencé à pleurer comme un vrai bébé qui pleure pour rien. Tellement pleuré que ses parents sont venus me calmer. Ça m'a pas calmée. Finalement, je me suis retrouvée dehors, mon habit de neige sur mon pyjama, ma mitaine avec ma main dedans dans celle de la maman de Marianne. Mes draps sentent pas le même savon et mon oreiller est en plumes, pas en fausse plume. J'ai une couverture qui tient bien au pied du lit. Pas celle de Marianne quand on est deux en dessous. Je suis pas habituée de dormir à trois dans une chambre. Je suis certaine que c'est pour ça que mon bateau m'a pas trouvée.

On a réveillé papa et maman qui dormaient à poings fermés, qu'ils m'ont dit. La maman de Marianne s'est excusée au moins quatre fois avant de repartir, le manteau sur sa chemise de nuit, les pieds sans chaussettes dans les bottes.

Mon bateau m'attendait sur le mur de ma chambre et il était en feu et il brûlait beaucoup jusqu'à ce que Marianne, qui courait sur le pont « au feu ! au feu ! », trouve une casserole percée et l'éteigne. Moi, j'avais sauté à l'eau en pleurant et heureusement que je me suis endormie parce que je pense que je me serais noyée.

J'aime pas dormir ailleurs que dans mon lit. Même quand j'ai ma brosse à dents et mon pyjama. Même quand j'ai mon manteau-toutou. Je peux pas laisser mes parents s'inquiéter comme ça. Bonne nuit, papa et maman, je suis revenue.

* * *

Notre voisin serviable vient de sortir de sa maison pour rejoindre des messieurs dans un camion. Je le vois très très bien. Ici, ça sent pas encore le café et lui, il est déjà dehors pour rendre service. Je comprends pas. Ils partent tous les trois en camion, lentement. Là, je les suis par les fenêtres. Ils sont dans la ruelle derrière la maison du voisin serviable et ma maison à moi. Je les vois par la fenêtre de la salle à manger, mais pas par celle de la cuisine parce que je suis trop petite. Je descends l'escalier de la cave et je me plante devant la fenêtre de la porte qui va dehors. C'est la fenêtre par laquelle je surveillais mon agneau-mouton de laine. Le camion est ouvert par en arrière et le voisin serviable ramasse des gros blocs de glace qui arrêtent pas d'en tomber. Le voisin et les messieurs prennent des pinces à faire peur pour les ramasser et les empiler. Heureusement que c'est pas des monstres.

Maintenant, ça sent le café. Ça veut dire que papa et maman sont levés. Maman vient me trouver. « Veux-tu me dire ce qu'ils fabriquent ? » Je la crois pas. Je pense qu'elle sait. En tout cas, papa sait parce qu'il est tout habillé en hiver avec ses bottes dans les mains et il sort avec un tuyau d'arrosage. Là, je sais plus ce qui est arrivé parce que j'ai tout à coup compris ce qui se passait ! J'étais un lutin quand je portais les étrennes chez les pauvres. Maintenant, je suis sûre d'être un lutin du père Noël. Notre voisin serviable est entré prendre un café. Les messieurs travaillaient encore. Moi, je sautais tellement que j'ai arraché le bouton de ma salopette ! « Veux-tu me dire ! »

Papa et le voisin serviable me regardaient en souriant. Maman avait déjà sorti mon habit de neige. En moins de temps que je prends quand je prends pas mon temps, j'étais dehors. Les messieurs travaillaient fort. Ils empilaient les gros blocs de glace en *piggy back*. Deux blocs de largeur et six blocs de hauteur, puis cinq blocs, puis quatre, puis trois blocs, puis deux, puis un, puis rien. Là, je les ai aidés, les messieurs. On a travaillé très très fort. J'ai mis de la neige partout entre les blocs. Eux aussi. Papa et notre voisin serviable sont sortis avec le tuyau d'arrosage. En plein hiver !

Bon, je vous raconterai pas qu'ils ont arrosé trois soirs d'affilée. Qu'on a remis de la neige, non plus. À la longue, ça aurait été ennuyant. Ça l'était presque. Papa m'a demandé si j'avais deviné ce qu'on faisait.

« Évidemment ! J'ai quand même presque 6 ans.

— Es-tu contente ? »

Le voisin serviable me regardait avec plein de clins d'œil dans les yeux. « Il y a beaucoup de monde qui va venir ici.

— Je sais. »

Mes amis allaient être contents aussi quand ils sauraient la belle surprise qu'il y avait dans notre cour.

Je devrais être couchée et endormie, ce soir. Papa m'a dit que c'est demain que ça commencerait. Moi, je pense ça pourrait peut-être être cette nuit. J'ai fait une chose qui est pas permise. Je me suis relevée et pas pour faire pipi. Non. J'ai descendu, sur la pointe des pieds, l'escalier du sous-sol et je suis restée devant la fenêtre qui regarde derrière. J'ai cherché et cherché dans le ciel, mais j'ai rien vu. Je l'ai pas dit à papa et à maman, que je suis un lutin. Le père Noël va arriver ici avec son traîneau ! C'est ici que le traîneau va se poser. C'est ici que les rennes, comme mon agneau-mouton de laine, vont attendre dans ma cour. Attendre le moment. Mon agneau-mouton attendait la parade. Eux, ils vont attendre la sainte nuit pour distribuer les cadeaux. Et moi, je vais les aider. Quand le père Noël va sortir les cadeaux pour les faire glisser sur la glissoire, c'est moi, le lutin qui va les attraper en bas.

Je vois toujours rien. Peut-être que c'est pour demain pour vrai, mais je vais attendre, au cas où. J'ai mis mon manteau-toutou et je me suis assise dans l'escalier. Si le traîneau arrive, je vais le voir. Les rennes ont des nez qui sont comme des petites lumières rouges. Si le traîneau arrive, je vais l'entendre aussi. Les rennes ont des clochettes autour du cou. Quand le traîneau va atterrir, je vais sortir et je vais demander au père Noël s'il veut son lait et ses biscuits tout de suite ou après. C'est ça mon travail de lutin. Ou je vais le servir, ou je vais aller ramasser les cadeaux qui vont glisser. À moins qu'il me demande de donner du foin aux rennes. Du foin… J'ai pas pensé au foin. Pauvres petits rennes fatigués, qu'est-ce que je vais faire ? Il faut que je réfléchisse à ça.

C'est drôle. Mon bateau est là. Il y a plein de monde sur le pont. Il y a des lutins, et la fée des étoiles, et madame père Noël. Il y a les enfants pauvres et le petit bébé pauvre, et un âne et un bœuf qui soufflent dessus. Il y a un petit enfant, habillé en manteau-toutou jaune, les yeux fermés, presque endormi dans l'escalier qui va à la cave. Je pense que c'est moi. Il a la tête appuyée contre le mur, et il flatte son manteau, jaune comme l'étoile de la fée. Ah ! Je pense que le petit enfant s'est endormi. Il sourit.

* * *

Papa avait dit que ce serait aujourd'hui. C'est pour ça que quand lui et maman sont entrés dans la cuisine, je mangeais mes céréales !

« Veux-tu me dire ce que tu fais avec ton manteau dans la maison ?

— Je mange. »

Je pense que j'ai pas été polie avec maman. Papa, même si c'était le matin, a été sévère comme pour le soir. Je me suis retrouvée dans ma chambre, la cuiller encore dans ma main. J'ai même une pantoufle qui est restée sous la table. Papa était pas de bonne humeur du tout. Il m'a dit de réfléchir et qu'il viendrait me chercher. « Tu restes dans ta chambre. »

Il y avait encore le creux de ma tête dans l'oreiller, mais tout mon lit était froid. Je pense que j'ai mal dormi dans l'escalier. En tout cas, je me suis réveillée une marche plus bas. J'ai vite regardé pour voir s'il y avait des cadeaux de rendus dans la cour. Rien. Pas de rennes non plus. Heureusement. J'aurais pas pu faire mon travail de lutin.

J'ai réfléchi, j'ai chanté mes chansons de Noël, puis j'ai attendu. Personne est venu. J'ai commencé à avoir peur de passer toute la journée dans ma chambre. Il y a rien à faire dans ma chambre, sauf mon lit. J'ai pas envie de faire mon lit. J'ai envie de me glisser dedans.

J'ai eu une très très bonne idée. Je suis allée chercher mes bottines et j'ai déguisé mon manteau en ami. J'ai mis les bottines au bout de chaque bras, un coussin pour sa tête et je lui ai prêté un de mes chapeaux. Je l'ai assis dans le lit et ensemble on a regardé par la fenêtre de ma chambre. C'est moins intéressant que ma fenêtre de salon parce qu'il faut que je reste debout. Comme pour la fenêtre qui regarde en arrière dans la cour.

J'aime pas réfléchir toute une journée, moi. Aujourd'hui, je veux attendre la nuit et le père Noël. Je vais faire un souhait. Je veux qu'il neige, aujourd'hui. Des beaux gros flocons qui vont tomber sur les épaules du père Noël comme les pellicules sur les épaules du boulanger. J'ai fermé les yeux et j'ai réfléchi à ça très très fort et quand j'ai ouvert les yeux, devinez ? Il y avait des flocons qui avaient l'air de danser. Je suis un lutin magicien, je m'en doutais. J'ai réessayé en demandant à la neige de cesser. Abacadabra ! Tu vas disparaître ! Ça a pas marché. Il neigeait encore beau comme sur les cartes de Noël. Il neigeait de plus en plus Noël. En attendant la permission magique de sortir de ma chambre, j'ai traversé le couloir et je suis allée dans la fenêtre de la chambre de papa et maman. Je suis quand même restée punie.

Dans la neige de l'autre côté de la rue, je suis certaine d'avoir vu la voiturette de la petite fille pauvre, même si c'est un samedi. Elle vient jamais le samedi. J'ai bien regardé. C'est elle. J'ai bien regardé encore et j'ai vu qu'elle avait juste un imperméable pas chaud, pas fermé non plus. Il fait froid dehors.

Je peux pas voir si elle a des bottes chaudes ou pas. Il fait froid pour les pieds. Je pense qu'elle a pas de mitaines. Il fait froid pour les mains. J'ai le vide qui vient de me rentrer dans le ventre, plus près du cœur que du nombril.

Qu'est-ce qu'on fait quand on est petite, en pénitence et qu'il faut qu'on aille parler à ses parents ? On réfléchit. Papa m'a mise en pénitence pour que je réfléchisse. Il faut que je réfléchisse. Je réfléchis devant la fenêtre. Je la vois plus. J'ai regardé mon manteau-toutou et sa tête était tombée. Il a fini de réfléchir, lui. Tant pis, je sors. Je reviendrai.

Papa et maman sont encore à table à boire un café. « Charlotte ! » J'ai peur quand mon papa prend ce ton-là. C'est pas du tout ce que je voulais faire, mais je commence à pleurer. « Pas de spectacle, Charlotte. Retourne dans ta chambre. » Il y a rien de plus difficile que de parler en pleurant.

« Non, je peux pas.

— On va voir…

— Maman, il lui faut un manteau, et des mitaines et des bottes, sans ça sa mère et sa famille vont crier famine comme dans *La Cigale et la Fourmi* ! »

J'aurais voulu voir le visage de mes parents pour savoir si je pouvais continuer, mais j'ai rien vu. Je suis retournée dans ma chambre en pleurant trop fort. Même moi, je trouvais que c'était trop fort. Je me suis cachée sous mon lit. La tête sur la tête tombée de mon manteau-toutou. Et j'ai pleuré dedans et dessus.

La porte s'est ouverte et j'ai reconnu les pantoufles de maman. Une chance. « Veux-tu me dire ce que tu racontes, Charlotte ? »

Je lui ai reparlé de la petite fille pauvre qui vient de passer devant la maison. Qui allait certainement chercher des restes qui puent de nourriture brune au couvent. Je lui ai raconté son accoutrement. Qu'elle allait certainement être très très malade avant de revenir dans sa maison.

« Elle est plus pauvre que les pauvres qu'on a vus. C'est sûr.

— Pourquoi dis-tu ça ?

— Parce qu'elle a pas eu de manteau d'hiver dans sa boîte de Noël de pauvres.

— Viens avec moi, Charlotte. »

On est descendues au sous-sol et on a fouillé dans les housses du linge de mes sœurs qui attend que je grandisse. Le manteau bleu marine que j'allais porter après le manteau-toutou était là. J'étais un peu soulagée parce que je savais qu'il était trop petit pour elle. Je l'aime ce manteau-là avec ses petites coutures rouges, son capuchon doublé en rouge et sa ceinture tricotée en laine rouge aussi. Peut-être que j'aurais pu lui prêter en attendant. Maman a sorti l'habit de neige de ma plus grande sœur. Des belles jambières et un beau manteau de laine chaude et un capuchon avec de la fourrure ! Elle a pris des bottes brunes et tout et tout. Même une écharpe rayée.

On s'est habillées en criant lapin, on est sorties et on l'a attendue devant la maison. On a attendu pendant beaucoup, beaucoup de temps. Trop.

Maman m'a dit: «Je pense que c'est elle qui arrive là-bas.» J'ai décidé d'aller faire un tour dans la lune des rêves. La lune du jour. Pas celle de la nuit. Dans ma lune, c'était plein de neige épaisse. Dans ma lune, c'était l'hiver de vent froid. Dans ma lune, j'ai imaginé qu'on marchait pour aller la rejoindre. Elle m'a reconnue. Pendant que maman s'occupait de la voiturette, moi je traversais la rue avec elle. Elle claquait des dents comme la cousine monstre avec ses dentiers. Mais elle, c'était des clacs de dents à cause du froid. Dans ma lune, mon écharpe était magique et elle s'enroulait autour de ses épaules. Dans la lune que j'imaginais, on a dit bonjour au petit garçon qui lui sciait du bois et la petite fille pauvre est entrée avec moi dans la maison. Papa nous attendait. Ma punition était terminée. Tout à coup, sans même en parler, on lui a fait la fête de Noël à la petite fille pauvre. Maman lui a coulé un bain avec de la mousse à la cerise. Quand elle en est sortie, elle a eu droit aux serviettes de la visite. Elle a eu droit aussi à des petites culottes, et des chaussettes chaudes, et un jupon et une robe, et un ruban dans les cheveux. Rien de déchiré. Rien de taché. Tout, tout bien plié comme pour une valise de voyage.

Dans ma lune, elle avait cessé de claquer des dents et elle me demandait si ça lui allait bien. «Tu es plus que propre, que je lui réponds, tu es belle. » J'avais jamais remarqué qu'elle pouvait avoir l'air d'une princesse, elle aussi. Comme Luce.

Juste à côté du petit garçon qui sciait du bois, maman avait tiré la voiturette et papa l'a renversée par malheur. Il a fallu qu'on jette tout ce qu'il y avait dedans. « Veux-tu me dire comment tu as pu être aussi maladroit ? »

Pour remplacer toute la nourriture brune de couvent, la petite fille pauvre a eu deux tourtières, de la soupe aux pois faite par maman, un beau gros jambon de monsieur Trottier, notre boucher, un sac de patates neuf, du pain, du beurre et tout plein d'autres choses. Et, j'allais l'oublier, des beignes qui étaient cachés sous la neige dans une boîte de métal !

Maman m'a dit : « Je pense que c'est elle qui arrive là-bas. » Je suis sortie de la lune et je lui ai pris la main bleue, froide d'hiver. Je lui ai donné une de mes mitaines. On s'est réchauffé nos deux mains froides avec la main de l'autre.

Après sa vraie visite dans ma maison, pas sa visite de la lune, mais elles ont été pareilles, les visites, on a tout bien placé dans sa voiturette et maman a tenu à la reconduire jusque chez elle. Moi, je suis pas allée. Joannie, c'est son nom, nous a dit que sa maison était plus loin que le rond à patiner, plus loin que la barrière des trains, jusqu'à une autre ville. L'habit de neige lui allait très très bien. Elle avait chaud. Il y avait des couvercles sur la nourriture.

Elles sont parties et la neige les a cachées, comme un secret.

* * *

Je voulais attendre le traîneau du père Noël, mais je me suis endormie beaucoup trop creux pour me réveiller pendant la nuit. Une chance qu'il y avait pas de cadeaux dans la cour et pas de traces de rennes non plus. René, lui, est trop petit pour comprendre à quoi va servir la glissoire qui est dans nos cours. Je lui ai pas dit pour qu'il ait la surprise pendant la sainte nuit. Comme il comprend pas, il monte l'escalier de glace du lutin avec une traîne sauvage et il glisse jusque derrière la cour des carottes. Bon, je pense que le père Noël sera pas fâché si j'aide René. On peut même être deux sur sa traîne sauvage. Moi, je m'assois derrière lui pour le retenir et tenir la corde aussi. Maman est sortie pour prendre l'air et nous regarder glisser un peu.

J'aime ça beaucoup beaucoup aider René à glisser. Peut-être que je pourrais faire glisser les petites sœurs de Marianne aussi. Je pourrais peut-être même inviter le frère zinzin de Maryse. Non, je pense que je ferai pas ça. Ça va être trop difficile à garder le secret sur l'arrivée du père Noël. Cacher la vérité, c'est plus difficile à faire qu'un mensonge.

* * *

Encore une fois je suis allée à la gare des trains. Mes sœurs étaient pas plus grandes. Non. Maintenant, elles sont plus grosses !

« Voulez-vous me dire ce que vous avez mangé ?

— Rien de spécial. »

Mes sœurs sont allées faire quelques petits achats de Noël à Montréal avec la voisine serviable à la tête dévissée et au ventre patapouf. Maman, elle, s'affairait à défaire les ceintures des jupes et les boutons pour les refaire après Noël ! « Veux-tu me dire dans quel état elles sont revenues ! Je vais manquer de temps. Et le sapin qui est pas encore acheté. »

Ça fait longtemps que j'avais le temps de le faire, le sapin. Je suis trop petite. Trop petite pour installer les lumières. De toute façon j'aurais pas pu à cause des fils qui sont électriques. Je peux pas accrocher les boules assez haut non plus. Pour l'étoile, il fallait pas que j'y pense. Des fois je me demande si c'est une bonne idée de pas vouloir grandir. De toute façon, ça a pas marché. J'ai grandi tellement que je mettrai plus jamais ma salopette de 4 ans + 1= 5 !

J'ai fait mes cadeaux de Noël. Pour maman, un très beau collage de trois photos de moi qui étaient pas assez belles pour un album. J'ai mis plein de couleur autour. Pour papa, j'ai cousu des boutons, presque bien, sur une vieille cravate que maman m'a donnée pour jouer au monsieur. Je vais lui remettre bien emballée. Pour mes sœurs, j'ai rien parce que je sais plus ce que ça veut des grandes sœurs grosses. J'ai pas de sous pour acheter les chansons de monsieur Domino. Peut-être des balles de ping-pong. Bonne idée. Je vais les peinturer avec de la gouache et les emballer. Ou coller des anges de cahier d'école. J'en ai au moins trois.

C'est ennuyant. Quand mes sœurs reviennent dans la famille, elles restent même pas là. Elles partent voir des amies ou magasiner. C'est comme si moi, je pouvais rien faire d'autre que de regarder par la fenêtre. Je fais tout le temps ça, mais c'est pas comme aujourd'hui. Aujourd'hui, j'ai pas choisi. Quand je le fais tout le temps, je connais tout le monde qui passe devant. Je connais les chiens, les chats, et les chevals. Je connais la température d'hiver. Quand je me colle le nez, j'embue. En été, quand je me colle le nez, je salis la fenêtre avec un petit rond de nez gras. C'est maman qui me l'a dit. J'ai un petit nez gras.

Aujourd'hui, je regarde dehors et c'est pas pareil. C'est parce que j'attends. J'ai bien reconnu les carottes même si leurs cheveux sont cachés par leur tuque de hockey. Mais c'est pas eux que j'attends. Hier, j'aurais été contente de les voir jouer au hockey avec les pommes de route du cheval du laitier. J'aurais trouvé ça très très drôle, surtout quand le grand en a reçu une en pleine figure. J'aurais pu jouer avec René qui attend sa maman dehors, lui.

J'ai pas le goût de jouer avec lui aujourd'hui. J'attends mes sœurs dedans pour qu'il se passe quelque chose de pas comme hier. J'aime pas ça attendre. Quand j'attends, mes idées s'arrêtent. Mes jeux aussi. Quand j'attends, je commence rien pour pas être obligée d'arrêter. Si j'allais dehors avec René, je serais obligée d'arrêter d'attendre. Quand j'attends, j'ai hâte d'arrêter pour vrai. Pour la bonne raison. Quand j'attends, j'ai mon vide aussi, entre le cœur et le nombril.

Peut-être que j'aime pas l'hiver autant que je pense. J'attends tout le temps en hiver. La neige, le patinage, mes sœurs, la neige à bonhomme... Là j'attends aussi que le petit Jésus naisse pour que le père Noël arrive avec ses cadeaux dans la cour. Le père Noël arrive juste après. Je sais qu'il doit être quelque part dans un stationnement dans le ciel à attendre, lui aussi. Après, j'attends pour ouvrir les cadeaux, pour manger le réveillon. Le demain de Noël, pour glisser derrière la maison si le père Noël est reparti. Sinon, je vais attendre qu'il reparte. Au moins ça, c'est une belle attente.

Le tramway est arrivé. Pas mes sœurs. J'ai entendu sonner le téléphone et maman parler joyeusement comme toujours, puis sérieuse. Je l'ai entendue dire: «*So soirée, Mrs. Horn, so soirée.*» Elle avait sa voix de politesse qui console. Je suis allée la retrouver et même si j'ai juste 5 ans et demi plus plus, j'attendais une mauvaise nouvelle. Dans sa voix que je l'attendais, la mauvaise nouvelle.

La mauvaise nouvelle, c'est que Mr. Horn a mouru. Moi, je m'étais habituée à entendre et à voir sa canne puis ses jambes qui se ressemblaient plus. Mrs. Horn faisait les courses toute seule depuis un bon bout de temps, je l'avais remarqué. Puis depuis un aussi bon bout de temps, l'épicier allait leur porter leur commande. Je le sais parce qu'une fois j'étais chez eux à manger des *jolies bines* quand il est arrivé, le monsieur de l'épicerie, avec son camion bleu foncé rempli de grosses boîtes.

J'ai sonné à la porte sur le bouton. Swwwiiiiiiiiin. Je suis arrivée avant maman. Même si on est en hiver, la porte était pas fermée. J'ai poussé et je l'ai vue, Mrs. Horn, assise tout près de la tête de Mr. Horn, qui était endormi mort.

J'ai enlevé mes bottes, mais pas mon manteau. J'étais dans le vrai salon mortuaire des Horn. Je me suis approchée de Mrs. Horn qui s'essuyait les yeux derrière ses lunettes. Avec un mouchoir tout en boule. Oh ! non, que j'ai pensé. J'aime pas ça, voir les belles vieilles madames pleurer. Mrs. Horn pleurait et il y avait pas une seule voix qui sortait de sa bouche. Juste des tremblements de lèvres. « *Hélo souite, souite hat. You are so souite. Comme.* »

Je me suis approchée d'elle et j'ai regardé Mr. Horn dormir de mort. «*Iou caime tou pé iour respecte ande sé goude baille, honnie ? Awe suite ove iou.*» Quand on voit quelqu'un qu'on connaît dormir de mort dans un cercueil, on a peur de déranger. J'avais peur de ça. Le déranger, dans ses rêves, mon beau vieux Mr. Horn. «*Comme.*» Mrs. Horn lui plaçait ses cheveux gris presque un par un, mais ses mains tremblaient. Comme ses lèvres. Elle le faisait encore plus doucement que moi quand je flatte mon manteau-toutou. Là, j'ai voulu demander une permission à Mrs. Horn, mais j'avais pas les mots. Ni en français, ni en anglais. Je suis montée sur le prie-Dieu, et j'ai lentement commencé à doucer la moustache de Mr. Horn. Sa belle grosse moustache blanche presque comme celle du père Noël. J'ai chuchoté dans son oreille, juste à côté de la main de Mrs. Horn: «*Hélo, souite hat.*» Puis je lui ai chanté très, très doucement: «*Re qui est-ce quatre ans, pas chom. Baille.*» Et j'ai fait comme la fois du mois des morts avec la parente de la fesse gauche de maman. Je l'ai embrassé. C'était pas pareil. Lui, il a pas ouvert l'œil. Il savait que c'était moi, sa petite *honnie*.

Par ma fenêtre, j'ai vu une *station wagon* noire de cimetière. Elle allait du côté de la maison des Horn. J'ai demandé à maman de m'ouvrir la porte.

«C'est pas nécessaire, Charlotte. Il faut laisser Mrs. Horn avec son mari.

— Pour quoi faire?

— Parce que.»

Bon, je vais encore attendre. Peut-être que l'auto noire va repasser devant la maison. Il y a Ali Baba qui est là et qui se traîne les bottes sur le trottoir. Il a l'air fatigué, ce matin, mon ami Ali. Il me fait allô de la main. « Allô » : c'est ma main qui répond. La *station wagon* noire revient ! Ali arrête de marcher et il la regarde passer. Il a enlevé ses cache-oreilles et il a baissé la tête. Je le savais qu'il était fatigué. Je sais pas ce qu'il cache en dessous de son turban, mais ce matin, ça doit être très très lourd parce qu'il a pas bougé du tout.

En tout, je les ai comptées, il y a eu onze voitures avec des chauffeurs distraits. Tous les chauffeurs, même notre voisin serviable, avaient allumé les phares blancs. En plein jour ! Ensuite, Ali a remis ses cache-oreilles et il est parti.

J'aime pas trop ça, les *station wagons* noires. Je sais pas pourquoi. J'aime presque mieux les autos qui crient à tue-tête ! Peut-être pas, non. Maman m'a permis de jouer dehors tout de suite après la dernière voiture. Je suis allée devant la maison et j'ai fait un ange dans la neige. Un ange parfait. J'ai eu une idée. J'ai creusé un trou dans la tête de l'ange et je me suis couchée à plat ventre, les bras dans les ailes. La neige a fondu beaucoup à cause de mon nez. Je respirais presque pas, mais je respirais un tout petit peu. Je me pratiquais à dormir morte. J'ai arrêté de bouger. Longtemps. Dans ma tête je chantais *Re qui est-ce quatre ans, pas chom*. J'ai entendu maman frapper à ma fenêtre. J'ai pas bougé. Je l'ai entendue ouvrir la porte. J'ai pas bougé. Je pouvais pas bouger parce que j'étais un ange qui dormait mort dans le ciel et qui cherchait Mr. Horn. *Re qui est-ce quatre ans, pas chom*. « Charlotte, ça suffit, réponds-moi. » J'ai pas bougé. J'ai pas dit un mot non plus. J'ai entendu maman sortir sur la galerie. J'ai cessé de respirer. « Veux-tu me dire… » Je l'ai entendue marcher vite dans la neige et arriver près de moi. « Respire pas », que je me suis dit. *Re qui est-ce quatre ans pas chom.* J'ai compté jusqu'à cinq avant de lever la tête et de dire : « Coucou ! » Je sais pas pourquoi, maman a pas ri du tout. Elle ressemblait un peu à Mrs. Horn et son mouchoir en boule, ma maman.

Noël et sa sainte nuit sont arrivés presque tout de suite après le passage de la *station wagon* noire. On est allés à l'église, j'ai fait la messe de minuit, mais l'orgue m'a fait pleurer. Surtout les grosses notes qui me vibrent dans le ventre. Qui vibrent comme la grosse voix de Mr. Horn.

« Viens, Charlotte, on va rentrer toi et moi. On va chauffer les tourtières. Je pense que tu es fatiguée. »

Je pense aussi que je dois être fatiguée parce que j'ai pas dit que je l'étais pas. On a chauffé les tourtières et on a attendu longtemps. Quand papa et mes sœurs sont arrivés, j'attendais près du sapin. J'avais mis tous mes cadeaux ensemble et on m'a permis d'ouvrir la première. Pas de tricycle à chaîne, pas de Minibrix, mais une très très belle lampe de lecture, des petites culottes et un pyjama un peu grand pour qu'il me fasse longtemps. Je pense que j'étais trop fatiguée pour dire merci. Trop fatiguée pour manger ma tourtière. Je suis allée voir si le traîneau du père Noël était dans la cour. Il était pas là.

Peut-être qu'il avait rencontré Mr. Horn et lui avait remis ses cadeaux dans le ciel. Peut-être. Peut-être qu'il avait demandé à ses lutins de lui emballer sa canne avec des rubans rouges et des rubans blancs. Peut-être.

Je suis allée me coucher sans même attendre qu'on déballe mes beaux cadeaux. Je sais pas pourquoi, mais même mon capitaine avait pas mis sa tuque de Noël. Et le sapin, sur le pont, était éteint, à moins que ce soit mes yeux qui s'étaient fermés.

* * *

C'est sûr et certain, je grandis à vue d'œil. Après le jour de la gare pour mes sœurs qui avaient des uniformes pleins d'élastiques, de boutons et de coutures pour que ça leur fasse jusqu'à la fin de l'année, maman et papa ont dit: «Charlotte, il faut qu'on te parle.» J'ai eu très très peur. Je pensais qu'ils voulaient me dire que Mr. Horn s'était réveillé ou me parler encore de mon ange. J'ai compris. Ça se fait pas, faire peur à sa maman et j'aurais pas dû faire ça. Ensuite, je pensais qu'ils voulaient me dire que j'étais pas un lutin. Le père Noël est pas venu dans notre cour. Je l'ai attendu tout le temps que j'ai été debout pendant la sainte nuit. Il est pas venu. Même après que je me sois endormie. Les rennes non plus. Non.

«Charlotte, aimerais-tu venir avec nous en Floride?

— En Floride ?

— Il y a la mer. Il fait très très chaud…

— … beaucoup trop chaud…

— … trop chaud et il y a pas d'enfants du tout pour jouer. Ou aimerais-tu mieux aller rejoindre Margot à son pensionnat, être en première année et jouer avec plein de petites filles pensionnaires comme toi ? »

C'est ce que je disais. Je suis assez grande pour aller au couvent même si je suis pas encore en première année ! Et pensionnaire, à part ça.

« Est-ce que j'aurais une valise ?

— Bien sûr.

— Pleine ?

— De tout ce dont tu auras besoin pour deux semaines.

— Deux semaines ! »

Si j'ai bien compris, je ferais le mauvais choix en allant dans la Floride pleine de vieilles personnes brûlées par le soleil. Il paraît qu'il y a des alligators en plus. Ils sont pas avec les visiteurs, mais ils sont là. J'aime pas trop ça, des alligators. Il paraît qu'on resterait ensemble tous les trois dans une *roumette* petite, petite et qu'on serait tassés, tassés, mais c'est juste agréable en vacances.

Au couvent, Margot, la grande fille de l'ami de papa, est là et elle joue du piano et du violoncelle. C'est un couvent école de musique. Elle est encore plus vieille que ma plus vieille sœur et elle s'occuperait de moi.

« Tout le temps ?

— Entre ses cours et le soir.

— Hum. »

J'ai pas dormi. J'ai mis mes bottines qui commencent à me faire pas mal mal au talon et je me suis collée collée contre mon manteau-toutou. J'ai parlé pendant longtemps avec mon ami le capitaine. Il m'a dit qu'il viendrait avec moi au couvent si je voulais parce que le couvent est juste à côté du fleuve qui coule près de ma maison. Il viendrait en Floride aussi. Moi, je pense que ce serait mieux la Floride à cause de la mer. Non, je pense que ce serait mieux le couvent à cause de Margot. Moi, je pense que je suis trop petite pour décider ça. Je pense que je vais me ronger les ongles. Je les ronge.

Quand j'ai vu ma valise dans ma chambre, j'ai ouvert mon tiroir et j'ai sorti un beau gilet de laine et mes jambières de cuir.

« Tu vas au couvent ?

— Oui, je vais au couvent. »

C'est le bébé qui voulait aller dans la Floride. Moi, j'ai grandi et je me pratique à être encore plus grande. Et dans le couvent, il y a l'école, et des amies et des sœurs que je connais pas trop et une église dans la maison même, et des pianos et des violons et Margot. C'est pour ça que je sors mes jambières. À part ça, j'ai pas un seul jouet de plage et mon maillot de bain a encore 4 ans et on me voit les fesses par en arrière. Peut-être que je vais grossir, moi aussi.

Quand je suis arrivée au couvent, j'ai presque fait l'étoile ! C'est gros, c'est grand et ça sent un peu le manger brun comme celui de Joannie. Margot nous attendait avec un sourire de bonne humeur rose. Et elle m'a tout de suite montré mon lit. C'est un lit. Mon manteau-toutou a rien dit. Papa et maman sont partis avant que j'entre dans la salle de musique où Margot chante et joue du piano. J'ai dit « bon voyage » et j'avais un tout petit peu de larmes dans la voix. Maman m'a dit que j'allais bien m'amuser. Eux aussi, je pense, sinon pourquoi est-ce qu'ils m'auraient laissée ? J'ai commencé à m'amuser tout de suite en faisant un duo de piano que je connais avec Margot. Elle m'a dit que ça s'appelait les *choppetiques*. En français, c'est plus drôle. C'est les baguettes chinoises. J'ai jamais vu ça, mais Margot me dit qu'ils mangent avec des petits bâtons, eux. Je la crois pas, ça se peut pas.

Il y a une grosse cloche qui a sonné et on est parties pour le ré-fec-toi-re. C'est difficile de s'en souvenir, de ce mot-là. Bon, j'étais un peu gênée quand je me suis assise et que j'ai mis mon tablier, comme à la maison. J'ai pas beaucoup parlé parce qu'il fallait que je mange des carottes. J'aime pas beaucoup les carottes. J'aurais aimé que maman leur dise. Mais le steak haché, c'était bien bon et le Jell-O aussi. J'ai vidé mon assiette moins une carotte et demie.

Ma vie au couvent a ressemblé à un rêve pendant deux semaines. D'abord, je prenais mon bain le samedi. Ça fait que j'ai pris un seul bain en tout. C'est des vacances, ça. Les sœurs noires de couvent prennent pas des bains comme nous. Il fallait que je garde ma culotte et que je savonne par-dessus ! Je me suis quand même lavé le siège comme il faut parce que j'ai mis ma main dans ma culotte pour passer le savon dans toutes les craques. En cachette. Ensuite, j'ai eu une amie tout de suite. C'était drôle parce que toutes les deux on était de la même grandeur et toutes les deux on avait un chapeau de laine angora brun. Presque pareil sauf que elle, la chanceuse, avait des oreilles de chat dans le haut. Pas moi. Moi, j'avais le chapeau rond et elle, le deux-pointes.

Dans la classe, j'aimais ça et maman m'avait bien appris mes lettres. Je savais compter jusqu'à 100 parce que quand on sait 1–2–3–4–5–6–7–8–9–10, vite et sans se tromper, on sait tous les chiffres du monde ; 10–9–8–7–6–5–4–3–2–1, c'est pareil. C'est vrai. Bon, je faisais pas les + et il paraît qu'il y a des moins. Pendant ce temps-là, je dessinais. Mais j'ai fait le catéchisme et j'ai appris par cœur trois prières : celle du matin, celle du ré-fec-toi-re et celle du soir. Pour les autres, j'étais trop gênée. Je baissais la tête et je faisais semblant : « mmeu-meueuemaamimeueu ». Je voulais pas qu'on voie que je les savais pas.

Avec mon amie du chapeau en angora à pointes, on jouait dehors et on était assises une à côté de l'autre dans la classe. Et dehors, à la récréation du soir, on jouait ensemble. On a presque eu peur ensemble toutes les deux. En faisant notre fort pour se défendre des Indiens comme Madeleine de Verchères – j'ai appris son histoire en écoutant dans la classe au lieu de dessiner – le fort nous est tombé sur la tête ! Ça a fait ploush et je me suis retrouvée plein de neige par-dessus moi. Pendant pas long j'ai pas eu peur. Mais tout de suite après, j'ai commencé à avoir très très peur pour mon amie d'angora. Peut-être qu'elle avait encore plus de neige que moi sur la tête. Je savais pas quoi faire et j'ai vu mon capitaine sur le pont de mon bateau et j'ai commencé à nager comme un poisson dans l'eau.

J'ai entendu quelqu'un m'appeler et c'était Margot. J'ai nagé tellement vite que je suis sortie de la neige. Comme ça. Les yeux pleins de neige et le visage tout blanc. Et de la neige entre mes mitaines et les manches, et j'avais la peau des poignets très très rouge. Mon amie d'angora était déjà là, elle aussi. Toutes les deux, on a dit que ça avait été très très drôle et amusant, mais je pense que nos nez auraient pu allonger !

Il paraît qu'il y avait presque pas de neige au-dessus de nos têtes. Moi, je pensais qu'il y en avait six pieds de haut au moins et je voulais pas dormir profondément comme les morts.

Je pensais que deux semaines, c'était long comme un hiver. Mais c'est pas vrai. Deux semaines, c'est long comme rien. J'ai pas pleuré en pensant à maman comme je pleure pas en pensant à mes sœurs. Pas pleuré en pensant à papa non plus. Puis on m'a dit :

« Charlotte, tu pars dans trois jours. » J'ai mal dormi parce que j'avais toujours plein de choses à raconter à mon capitaine. Le matin avant les deux derniers dodos, je me suis levée chaude comme une tasse de chocolat, avec plein de boutons partout qui piquaient comme des maringouins. Là, j'ai pleuré parce que j'ai été mise dans une cellule d'infirmerie, toute seule avec mon ennui et mes boutons. Deux jours que je suis restée là. Margot a fait ma valise et il me restait juste une nuit à passer au couvent.

Margot et son amie ont voulu me consoler comme personne d'autre. Elles sont venues me chercher, en cachette. Ça veut dire chut ! et sur la pointe des pieds. Elles m'ont emmenée du côté de l'école de musique. Il y avait pas une seule personne et pas un bruit non plus. Elles m'ont assise sur une chaise et toutes les deux ont joué pour moi. L'amie de Margot jouait du violon. Margot chantait en jouant du piano.

Je faisais encore de la fièvre et je frissonnais un peu. Quand j'ai entendu le violon chanter avec Margot, j'ai eu d'autres frissons. J'ai fermé les yeux et j'ai écouté. Je pense que le vide entre mon cœur et mon nombril se remplissait un peu, comme un verre d'eau. Je voyais pas mon bateau ici. J'étais dans l'eau de mon bateau et l'eau remplissait presque mon vide. C'est pour ça que j'avais des larmes. J'étais pas triste, non, je voulais que ça dure toujours, toujours. J'avais des larmes qui sortaient directement de mon cœur à cause du violon. Est-ce que ça se peut, ça ? Maman…

* * *

Le père Noël a donné à Bruno un beau *cash* rouge pour jouer au magasin. On peut l'ouvrir et mettre des sous dedans. Et des dollars si on veut. Quand on l'ouvre, c'est comme un vrai parce qu'il fait gling-a-ling. J'attends Bruno aujourd'hui aussi. J'étais devant ma fenêtre avant le boulanger Wonder Bread. *Le Devoir* est arrivé avant moi. Bruno peut venir jouer avec moi parce qu'il a déjà eu la varicelle. Pas Luce, pas Marianne, pas René. Maman pense que c'est Bruno qui me l'a donnée. Ça se peut. Elle dit que je l'aurais in-cu-bée au couvent. Plus je grandis, plus les mots grandissent aussi. Elle pense que mes amies du couvent doivent l'avoir maintenant. C'est pas ma faute si elles sont malades, mais en même temps, c'est comme ma faute. J'espère que mon amie d'angora l'aura pas parce que c'est une attaque de maringouins du matin au soir et pendant la nuit. Heureusement que je dors pendant la nuit. Ça pique pas. Mais je dors avec des gants.

Hier, Bruno est venu et il a apporté son *cash* rouge ! On a joué au magasin. Maman lui a ouvert la porte – je suis toujours pas capable, j'ai hâte d'avoir des grosses mains – et on est descendus au sous-sol. En voyant la porte du caveau, on a décidé que c'est là qu'on installerait une épicerie. On a apporté ma table et c'est comme si on avait eu un vrai magasin : il y a des pots de betterave et de ketchup rouge, de ketchup vert, de cornichons et d'oignons. Il y a des bouteilles de bière d'épinette et de 7-Up pour la visite. Des sacs de pommes de terre et de carottes et d'oignons. Un vrai magasin.

Bon, il s'est passé une affaire drôle. On a parlé de notre vari-cel-le et on a commencé à se montrer nos boutons. Moi, j'en avais un juste au-dessus du nombril et lui, beaucoup plus bas. On voulait juste les voir, mais là j'ai remarqué une grande différence. Je le savais, mais j'avais jamais vu la grande différence. Mon ventre à moi aboutit à rien mais le sien se change en quelque chose de drôle. De très très drôle. J'ai éclaté de rire et je l'ai touché.

« Veux-tu me dire ce qui te fait rire comme ça, Charlotte ?

— Rien. Notre jeu. »

Le nez m'a pas allongé. C'était chaud et mou. C'était doux. Lui aussi voulait toucher ma petite craque de rien, mais j'ai dit non. Parce que c'était beaucoup moins drôle. « Est-ce que je peux toucher avec deux doigts ? » Il a dit O. K.

« Charlotte ? Qu'est-ce que vous faites, vous êtes bien silencieux ? »

On a caché nos boutons à toute vitesse et on a continué à jouer au magasin, pour vrai. On s'est bien amusés. Des fois c'était lui l'épicier, des fois c'était moi. Bruno est parti et maman lui a demandé s'il pouvait venir demain pour me désennuyer. Bruno a dit : « Oh, oui ! »

C'est pour ça que je suis déjà devant ma fenêtre avec une idée dans la tête. Bruno ! Il est dans la ruelle juste à côté de la haie de mes voisins grands-parents avec son *cash* ! Youppi ! On va rejouer au magasin aujourd'hui aussi. Je demande à maman si elle a des sous pour nous et elle m'en donne plein. Des noirs et deux blancs : le petit et le plus gros, raboteux tout le tour.

J'ai aussi eu la permission de prendre des dollars dans le jeu de Monopoly de mes sœurs, à la condition de les remettre. Et on est redescendus.
« Amusez-vous bien…

— Oui. »

Mon idée était simple. On a fermé la porte du caveau et on a recommencé à regarder nos boutons. Pour pas inquiéter maman, on a quand même appuyé sur le tiroir du *cash*. Pas de silence dans le magasin.

« Bonjour, monsieur, je voudrais du ketchup, s'il vous plaît.

— Rouge ou vert ?

— Un pot de rouge.

— Dix dollars, merci, madame. »

Gling-a-ling. On a vite compris. On parlait et je touchais à son péteux, en même temps. Il m'a dit que ça s'appelait un péteux. Je peux pas demander à maman si c'est vrai. J'ai touché avec trois doigts et j'ai levé le petit cornichon sucré mou et en arrière du cornichon il y avait une petite patate grelot. Ah ! bon. Drôle de place pour un grelot. Je lui ai pas dit ça.

« Bonjour, madame, je voudrais des oignons… »

Gling-a-ling. Bon, il a voulu toucher à mes petits coussins à côté de la craque. J'ai dit O.K. Gling-a-ling. « Bonjour, monsieur... » Gling-a-ling.

On a changé de jeu. On est sortis du caveau et on a joué au jeu de poches, mais il était trop bon pour moi. On a ensuite joué avec ma tablette magique – celle avec laquelle je joue aussi avec Luce – et il est très bon en dessin. Moi, pas trop. Puis on a entendu le trait prolongé à la radio et on est montés.

« Vous êtes-vous amusés ?

— Oui, beaucoup », qu'il a dit à ma mère.

Après une semaine, Bruno est venu moins souvent parce que moi, j'avais les boutons qui séchaient. Il est reparti avec son *cash* et on a cessé de jouer au magasin. Mais j'ai bien aimé ça. À cause du péteux, oui, mais aussi parce que j'ai eu de la visite tous les jours.

Je me suis couchée et mon capitaine est revenu me parler du couvent et de la musique qui fait pleurer. Il m'a fait monter à bord et le bateau nous a bercés. On a écouté les moineaux qui réussissaient pas à dormir. Parlant de moineau, je lui ai dit qu'un voisin de la rue d'en arrière, Robert, que ma mère appelle « tout un moineau celui-là », m'a demandé si je voulais jouer au docteur avec lui. Je pense que j'aime pas trop les docteurs maintenant que j'ai eu la varicelle.

* * *

Je commence à aimer moins l'hiver. Je l'aime moins parce que les montagnes de neige sur le terrain sont aplaties et elles sont grises. Parce que dans la cour, chez Luce, on peut plus jouer tellement il y a des flaques d'eau. Je l'aime moins parce que la glissoire du père Noël a perdu la rampe de bois de l'escalier de glace et qu'on a peur de tomber. Mais, surtout, surtout moins parce que, tant qu'il est là, j'attends mes 6 ans et j'ai très très hâte d'avoir mon gâteau qu'on mange avec une fourchette. La recette de maman. J'ai très très hâte pour voir mes cadeaux.

La seule chose que j'aime dans l'hiver fondant, c'est que dans la cour, partout, il reste seulement de la neige à bonhomme. On peut faire un bonhomme et déjà, le lendemain, il a perdu sa carotte et au moins un bras. J'en ai même vu un qui a perdu la tête.

Cet après-midi, à deux heures, je vais chez Luce. J'ai le temps de voir arriver mon beau cheval et son laitier. J'ai le temps de voir rentrer Ali qui a enlevé son cache-oreilles. Je pense qu'il est fatigué de se déguiser et de se cacher. Je pense qu'il aurait envie de rentrer dans son livre. Je trouve qu'il traîne les pieds. Comme s'il était vieux. Comme mon beau Mr. Horn avant la canne. À moins que ce soit parce qu'il cache plein de pièces d'or de son trésor dans ses bottes.

Le soleil brille dans les branches et elles dégouttent sans arrêt. Peut-être qu'on va aller à la cabane à sucre. Papa a dit un peut-être plus non que oui. J'y suis déjà allée et j'ai pas aimé ça. D'abord, j'ai vu un serpent noir et jaune. Il m'aurait fait encore plus peur s'il avait pas été écrasé mort. Il y avait aussi tellement de boue que ma belle botte transparente gauche a fait slhurp et elle est restée calée dedans. Avec ma chaussure. J'ai été forcée de sautiller pendant très très longtemps, sur un pied. Ça a été tellement difficile que j'ai pas réussi jusqu'au bout. J'ai passé toute ma cabane à sucre assise, pas de chaussure, pas de botte. J'ai pas aimé ça. J'ai pas dansé, non plus.

Ce matin maman me lave la tête. J'aime pas ça. Il faut que je monte sur une chaise et que je me cache les yeux dans une débarbouillette. Elle me mouille les cheveux, les savonne et ça me brûle quand même. Ensuite on rince avec de l'eau et du vinaigre dedans. Ça les empêche de se mêler. J'ai les cheveux très très longs. Quand ça se mêle et que ça fait des nœuds, je crie : « Veux-tu me dire ce que tu fais, maman ? » C'est rien comparé, quand même, à ce qu'une carotte m'a déjà fait quand j'ai essayé de partir avec son ballon, pour rire. Elle a pas ri du tout, la carotte, et m'a tiré la queue de cheval tellement fort que je pensais qu'elle l'avait arrachée. J'étais certaine de saigner de la tête.

Tiens, le papa patapouf booing. Ça fait longtemps que je l'ai vu, lui. Il est passé à peu près vite, mais j'ai eu le temps de voir qu'il apportait une bicyclette. C'est mon rêve pour mon anniversaire de 6 ans. J'ai juste un vieux tricycle pas de chaîne. C'est pas grave parce que la chaîne de celui de Marianne brise tout le temps de toute façon. Comme le chien.

La maman de Marianne a donné le chien à quelqu'un qui avait pas d'enfants. Elle a dit: «Mémémé, je vais devenir folle et lui aussi. J'ai assez de deux bébés aux couches.» Le chien est parti sans japper. On avait pas encore choisi son nom. On allait voter pour Doré, Chienchien, Jappe ou Quatre-Pattes. Il est parti avant même d'être baptisé. C'est de valeur. On avait une belle robe blanche pour lui.

Maman est allée chercher le courrier et elle a dit: «Charlotte, viens voir.» Dans le jardin, collés, collés sur la maison, j'ai vu des crocus!

«Le printemps s'en vient, ma Charlotte.

— Je sais, la voisine en parle tout le temps.»

Comme j'avais beaucoup de temps devant moi, maman m'a demandé de poster une lettre! Pour vrai. Une vraie lettre avec un vrai timbre. Poster une lettre, ça veut dire traverser la rue des rails, et mettre la lettre dans la fente de la boîte rouge. C'est juste avant la maison de Luce et à côté de celle de Marianne. Je suis assez grande. C'est facile bébé.

Je me suis tout habillée, mais pas en hiver même si c'est l'hiver. J'avais mon manteau-toutou, pas boutonné et pas de jambière. Mon chapeau en angora parce que je l'aime et mes mitaines, parce que maman voulait que je les mette.

C'est sûr que j'ai regardé deux fois à gauche puis deux fois à droite. J'ai pas couru en traversant non plus. J'ai presque pas eu besoin de me mettre sur la pointe des pieds pour rentrer ma lettre dans la fente. Pas de lettre ! Je l'avais échappée dans la neige, les mots dans l'eau.

« Veux-tu me dire ? » L'encre des chiffres et des lettres s'était toute mélangée et maman a repris une autre enveloppe, et un nouveau timbre. Moi, je pleurais pas parce que c'était un accident et maman m'a pas disputée. Comme j'ai beaucoup grandi, je suis repartie avec la nouvelle enveloppe et j'ai changé mes mitaines pour des gants. Il doit y avoir un petit diable près de la boîte rouge parce que j'ai retrouvé la lettre dans la même flaque. Maman a pas ri. Elle a même pas voulu me redonner une autre enveloppe. « Si ça retombe dans l'eau, la lettre elle-même va être effacée. J'irai tout à l'heure. » Bon, je suis redevenue un peu bébé et j'ai pleuré. Maman a dit : « Vas-y donc, mais ne la quitte pas des yeux. » Cette fois, je l'ai pas quittée des yeux et je sais pas quand elle est tombée dans la flaque une troisième fois !

« Bonjour, c'est la maman de Marianne. Charlotte est avec moi. J'ai une petite question. Pourriez-vous me donner le nom et l'adresse qu'il y avait sur l'enveloppe ? »

Je voulais pas rentrer à la maison. C'est sûr qu'il allait se passer quelque chose même si c'est pas de ma faute. C'est le petit diable de la boîte, pas moi.

J'ai entendu quelqu'un crier. C'était devant la maison de Luce. Je me suis retournée et j'ai vu la dame zinzin d'au moins 30 ans courir, la tête en avant, les bras en arrière comme des ailes d'oiseaux. Elle pleurait comme si c'était à son tour d'être un bébé de 2 ans. J'ai jamais vu ça, une grande personne pleurer en courant. Puis j'ai reçu une balle de neige dans le dos et elle, une sur la tête. Elle a poussé un cri tellement creux que ça m'a fait peur. Elle est partie dans la rue sans regarder deux fois de chaque côté, les bras toujours en ailes d'oiseau. Même quand elle court, même si elle est grande, elle court pas vite. Ses pieds vont pas vraiment devant. Ils vont n'importe comment. J'ai couru plus vite qu'elle et elle a reçu toute une tempête de balles de neige. Et elle a crié encore plus creux. J'ai vu que la tempête venait de carottes qui riaient à chaque cri. J'ai frappé et frappé sur la poignée de la porte. Frappé et frappé. « Maman ! »

Maman a pas ouvert tout de suite. « Maman ! » Ce doit être à cause de l'enveloppe. « Je l'ai postée, ouvre ! » Les carottes arrivaient et la zinzin était tout essoufflée et elle pleurait tellement fort que je pense qu'elle voyait même plus son chemin avec la neige dans sa figure et dans le cou et partout.

« Veux-tu me dire ?

— Donne-moi cinq sous, donne-moi cinq sous, vite. »

Maman regardait les carottes approcher et elle a vu la zinzin aussi. Je pense qu'elle a vu que la zinzin allait pas bien.

« Pourquoi cinq sous ?

— Je veux acheter une langue anglaise. »

Il fallait que je leur dise d'arrêter. « Stop ! » C'est tout ce que je savais dire. J'ai pas eu le temps de l'acheter, ma langue. La zinzin avait glissé et elle était tombée. « Oh non ! Maman. » Maman est entrée chercher son manteau et moi j'ai crié : « *Dame date balle ! Stop ! Dame date balle !* » jusqu'à ce qu'une boule de neige me frappe sur l'œil. » J'ai pas pu voir la fin de la bataille. C'était des carottes, mais pas celles de ma rue. Maman savait plus où donner de la tête. La zinzin pleurait fort fort et elle criait. Moi, j'entendais : « Lâchez-moi, lâchez-moi. » Moi, je pleurais dans la neige froide et la zinzin voulait pas se relever parce qu'elle avait trop trop peur. Elle se tenait la tête en criant et en hurlant. Ça faisait trop de peine à maman. Elle l'a consolée, elle lui a dit de l'attendre. Ensuite elle est revenue vers moi. Elle m'a couchée sur mon fauteuil, elle m'a mis une débarbouillette pleine de glace sur l'œil, elle m'a couverte avec mon manteau-toutou et elle a allumé la radio pour que j'aie de la compagnie. Elle est partie aider la zinzin à se relever. Les carottes s'étaient sauvées par la ruelle et maman a calmé la zinzin avant de la reconduire chez elle en lui tenant la main.

Je suis sur le pont de mon bateau et je suis un pirate. J'ai un œil qui va noircir. J'ai pas joué avec

Luce. J'ai joué avec personne. Même quand René est venu se faire garder par maman, j'ai pas joué avec lui. Je suis restée dans mon lit à attendre que mon vide entre le cœur et le nombril se remplisse. Il s'est pas rempli et je vais m'endormir le vide creux. Comme les cris creux de la zinzin. Même si j'ai beaucoup grandi, j'étais trop petite contre les carottes. «*Dame date balle. Dame date balle. Dame date b…*»

Encore le printemps

J'ai 6 ans moins sept dodos. J'aime le printemps parce qu'il sent fort comme les madames du tramway quand j'ai le nez près de leur huhum. J'aime le printemps parce que Pâques est pas encore arrivé et que je porte plus mon manteau-toutou qui est trop chaud. J'aime le printemps qui est parti avec notre glissoire trop dangereuse, même pour le père Noël. J'aime le printemps parce que la voisine me l'avait dit, il serait beau, même si les rues sont pleines de pommes de route.

On a gardé René pendant tous les jours de mon œil au beurre noir, mais il dormait dans sa maison avec son papa. On en a profité pour jouer au pirate. C'était moi le pirate et lui le capitaine, mais pas comme mon vrai capitaine de bateau à moi. Quand sa maman est revenue, j'ai compris qu'elle était allée à l'hôpital se chercher un bébé neuf. Un bébé garçon, encore une fois. J'aurais aimé un bébé fille pour changer, mais c'est un bébé garçon qu'elle a acheté. Je crois que les médecins lui ont revissé la tête. Elle ne penche plus par en arrière. Heureusement que la maman de Marianne achète toujours des bébés filles. Elle connaît l'hôpital où on les vend, parce qu'elle en a déjà acheté quatre.

Aujourd'hui, c'est très très excitant. Marianne, sa première petite sœur, Maryse, d'autres amis, Bruno et moi, on va faire une parade de déménagement ! Maman a dit oui. Pas la maman de Luce, mais je comprends. Son cœur est encore petit, tout petit, petit. Marianne va changer de maison ! Elle s'en va dans une grande grande maison pour toute sa famille. Elle aura plus jamais de place pour des voisins qui peuvent lui mordre le nombril.

Sa maman m'a dit qu'elle pourrait peut-être les remplacer par d'autres bébés. Elle aime les bébés, sa maman, et elle a pas de cheveux blancs du tout, du tout.

On partait pas avant neuf heures. Comme j'avais trop hâte, j'étais devant ma fenêtre avant le café et on était vendredi. Je regardais à travers la fenêtre trop sale au goût de maman. Papa avait même pas encore commencé à se faire la barbe que je regardais les petites bosses de rien du tout de neige sale. Avant c'était des montagnes. Je regardais les plaques de gazon jaune partout sur le bord des trottoirs. Et j'allais sans cesse voir l'aiguille du cadran qui avançait pas vraiment.

Papa s'est levé, maman, pas. Il s'est rasé, maman, pas, hihi. Il a fait trois cocos, deux pour lui, un pour moi. Il a fait trois rôties, deux pour lui, une pour moi. Il a fait deux cafés, un pour lui et deux pour lui, hihi ! Il a fumé deux cigarettes, moi pas. On s'est habillés en même temps. Lui dans sa chambre, moi dans la mienne. J'ai fini la première. Il dit que c'est à cause de la cravate que j'ai pas. J'ai quand même réussi à faire les deux boucles de mes chaussures ! C'est pas facile. En tout cas, il a perdu et j'ai eu dix sous pour la vitesse.

Quand il est parti, je lui ai fait des au revoir de la main jusqu'à ce que je le perde de vue. J'ai regardé les aiguilles du cadran. Il restait pas assez de temps pour m'amuser parce que la petite aiguille s'approchait du 9. J'ai décidé de faire une surprise à maman et de laver la vaisselle, toute seule. J'ai pas réussi à tout faire. « Veux-tu me dire ce que tu bardasses ce matin ? » Maman pense que mon idée est pas trop bonne. Elle a tout recommencé.

Parce que maman était là, les aiguilles sont allées beaucoup plus vite et je suis partie aider au déménagement 5 minutes avant 9 heures. La maman de Marianne a vidé une boîte et nous a demandé de mettre tout le linge qu'il y avait dedans plutôt que de la transporter. Comme une mascarade. On a fait ça. Moi, j'étais une madame, Marianne, une princesse, sa petite sœur, une petite princesse, Maryse, une petite pauvre, Bruno, une madame, lui aussi. C'était drôle.

Quand on est partis, Bruno déménageait la voiturette qui me fait penser à celle de Joannie. Marianne et sa petite sœur poussaient un carrosse de poupée, moi, je poussais le vrai carrosse des vrais bébés de sa famille. Il y avait pas de bébé dedans, mais plein de poupées et de toutous. On avait aussi une poussette, le tricycle à chaîne brisée accroché derrière le tricycle ordinaire et des sacs à poignée en tissus fleuris. La maman de Marianne a fait une photo de nous tellement on était drôles. Elle a mis ses deux bébés aux couches dans sa voiture et, quand on est arrivés, elle a pris une autre photo de nous. Je pense qu'on souriait moins parce que c'était lourd ce qu'on déménageait. Oh ! oui, j'oubliais, on avait aussi une cage à oiseau avec un canari dedans. Dans la poussette. Il a pas chanté du tout.

On a crié et couru dans toute la maison qui était aussi grande qu'une église et remplie d'écho. « Marianne… anne… anne… anne. Charlotte… otte… otte… otte. » Et on a monté des escaliers à la course. Bruno a voulu descendre en glissant sur la rampe. « Mémémé, Bruno, c'est pas prudent pour un petit garçon de faire ça. » Bruno l'a pas fait.

On a beaucoup joué à faire semblant parce qu'il y avait rien. J'ai entendu la sirène de la Waterman. Après beaucoup de « merci, les enfants » et un jus de fruit, on est partis. Toute la maison de Marianne est pas rendue dans sa nouvelle maison. Elle va être toute déménagée pendant la fin de semaine de Pâques quand MOI J'AURAI 6 ans !

En arrivant au coin de la rue, j'ai vu un camion près de ma maison. On a marché plus vite, mais Marianne a été obligée de ralentir à cause que les jambes de sa petite sœur vont moins vite.

J'ai pas voulu ralentir, moi. Je me suis retrouvée devant la maison de Mrs. Horn.

« Mrs. Horn ?

— *Aïe ame so api tou si iou, honnie.* »

Dans sa maison il y avait plein de messieurs qui la vidaient. J'ai vu passer la table des *jolies bines* et le fauteuil de pipe de mon beau Mr. Horn. J'ai vu un lit. J'avais jamais pensé qu'ils dormaient dans un lit de château avec des coins très très hauts et piquants pour les protéger des dragons, j'imagine. Des coins sur des ananas ! Ils ont aussi sorti une armoire haute haute avec un miroir. Dans le miroir, j'ai vu passer le fantôme de Mr. Horn. C'est vrai, je l'ai vu.

J'ai aussi vu les formes de ses souliers, dans une boîte. Comme celles de papa. Mais les formes de Mr. Horn étaient pas croches de la même manière. J'ai vu passer le monsieur qui tenait le cendrier de Mr. Horn. Son beau cendrier comme une branche avec des oiseaux dessus. J'ai vu une vieille radio comme dans les films où on voit tout le monde assis autour, la main sur le front. Nous, on a pas ça, une radio de film. Mais j'ai vu passer une boîte comme celle que maman a mise dans la cave. Avec un plat pour vomir, et un plat pour les pipis et cacas quand on est couché, et un autre que je sais pas à quoi il sert. Dans un pot, avec un parapluie, j'ai vu sa canne passer, sans lui pour la tenir.

« Tu t'en viens, Charlotte ?

— Oui, mais pas tout de suite. Mrs. Horn déménage elle aussi.

— On a entendu la sirène.

— Je sais… »

Marianne était là qui m'attendait. Moi, j'ai compris que Mrs. Horn s'en allait et elle avait même pas d'enfants pour pousser la chaise roulante qui venait de descendre l'escalier. J'ai pas voulu le faire. Je savais pas comment on dit ça en anglais qu'on veut pas qu'elle change de maison elle aussi. Marianne c'est assez, même si c'est à deux pas, comme a dit sa maman, j'aime mieux ça, à un pas, moi.

Les messieurs ont fermé les portes du gros camion. Ils sont montés et le camion est parti en grognant du moteur. Marianne a dit qu'elles rentraient parce que sa sœur voulait se reposer un peu. Mrs. Horn m'a prise par la main et m'a emmenée dans la maison. On est allées jusqu'au fond, dans la cuisine et j'ai vu un cadeau. Il était sur le comptoir, bien emballé avec une boucle rouge avec des pois blancs. Un cadeau pour ma fête !

« *Donte opine it nao, honnie. Onli on iour bird é.*

— *Tank iou.* Merci, Mrs. Horn… Pars pas, Mrs. Horn. »

Il y avait plein d'écho dans la maison ici aussi. Mrs. Horn a mis son manteau par-dessus sa veste de laine grise. Il était sur la rampe d'escalier parce que la belle patère avec des crochets en becs d'oiseaux était plus là non plus.

On est sorties et monsieur Roméo l'attendait dans son taxi. Mrs. Horn a barré la porte et elle a mis la clef sous le paillasson oublié juste pour la cacher là. Je vais pas le dire.

Elle m'a embrassée très fort sur les joues. Assez fort pour que le petit poil à côté de son sourire me pique un peu. Elle a sorti son mouchoir pour s'essuyer les yeux comme quand son salon était mortuaire. Elle m'a regardée et elle me l'a passé sous les yeux aussi. Il me semblait bien que mes paupières étaient pas tranquilles.

«*Baille*, Charlotte, *souite hat.*

— *Baille*, *Mrs. honnie.*»

Maman m'a expliqué qu'elle allait dans une autre maison, là où elle connaissait des gens. Dans l'Ontario près des chutes du Niangora. Maman m'a dit que c'était mieux pour elle. Si maman le dit… J'aime quand même pas ça.

Je l'ai attendue longtemps sur mon bateau, Mrs. Horn. Elle est arrivée en souriant. Elle avait plus de mouchoir et elle tenait un parapluie ouvert au-dessus de sa tête et un fermé dans sa main. Elle était sur le pont à côté de mon capitaine qui m'a dit: «Prends le parapluie de Mr. Horn, Charlotte, et tiens-toi bien. On va faire un tour de chutes et il va pleuvoir bergère.»

Moi, j'ai trop peur de couler au fond de l'eau. Mon vide entre le cœur et le nombril est tellement gros qu'il pourrait y avoir trop d'eau qui rentre dedans. Mon capitaine voit que j'embarque pas. Il peut pas savoir que c'est à cause de mon vide. Mrs. Horn m'envoie plein de baisers dans le vent. Mon capitaine me fait un salut de soldat de mer sur sa casquette et il sonne la cloche. Swwwwwwwwin… win… win…

* * *

Dans deux dodos c'est MA FÊTE ! On a encore eu un rameau, dimanche dernier, et je l'ai pas échappé entre mon fauteuil et le calorifère. Demain il paraît que je vais à l'église voir le prêtre se laver les pieds et laver les pieds des autres. Devant tout le monde. En pleine église. La surprise, c'est que Luce vient avec nous ! On y va en voiture avec son voisin serviable à elle et on revient avec lui aussi.

Luce nous attend devant sa maison et elle est tout excitée. Elle a un manteau vert comme ses yeux avec un col de velours, comme le mien, et des gants verts aussi. C'est pas *blagouache*. Les mêmes couleurs, mais pas pareil. Elle a l'air d'une princesse et moi de sa servante. Il pleut même pas et on est ensemble. L'église est pleine de monde et maman nous permet de nous tenir debout sur le prie-Dieu pour qu'on puisse voir. Il paraît que ça va être un peu long. Maman nous a permis d'apporter des livres à lire en silence. La madame derrière nous a trouvé ça « effrayant ». Je l'ai entendu le dire à sa voisine. « Qu'est-ce qui est effrayant, maman ? » J'ai chuchoté bas, bas dans son oreille. « Je le sais pas du tout. » Peut-être que maman va le savoir avant qu'on sorte.

Je vous raconterai pas la messe. C'est tellement long que je sais jamais si ça va finir un jour. Le prêtre a même l'air perdu dans ses pages de gros livre, lui. Il tourne les pages, met son ruban pour s'en souvenir. Il revient, cherche son ruban, retourne les pages, change le ruban de place. Il est toujours mêlé.

Bon, après s'être lavé les pieds et ceux des autres prêtres dans pas assez d'eau pour qu'ils soient propres, il les a essuyés avec un linge pas assez grand non plus pour le faire comme il faut, tant qu'à le faire.

On est sorties avant la fin. Maman a perdu patience d'entendre les madames à *papparmane* qui parlaient tout le temps dans notre dos. Elle est drôle, maman. Quand elle perd sa patience, elle dit des choses sèches. On est sorties du banc par le prie-Dieu en tenant nos livres. La madame a dit : « C'est pas prier, ça ! » Maman a dit : « Excusez, excusez » pendant que Luce et moi, on descendait du prie-Dieu. Puis elle a ajouté : « Laissez venir à moi les petits enfants. » Elle leur a fait un sourire avec les sourcils qui montent et qui descendent avant de baisser sa voilette ! Ça devait être drôle parce qu'elle riait en cachette sur le perron. Je sais pas pourquoi.

* * *

Demain c'est ma fête et c'est la dernière fois de ma vie aujourd'hui que j'ai 5 ans ! Demain c'est ma fête et c'est la dernière fois de ma vie aujourd'hui que j'ai 5 ans ! Demain c'est ma fête et c'est la dernière fois de ma vie aujourd'hui que j'ai 5 ans !

« Charlotte, cesse, descends du fauteuil et va te coucher. Il est assez tard.

— Je veux pas me coucher avant demain, maman. C'est la dernière fois de ma vie aujourd'hui que j'ai 5 ans ! »

Je l'ai pas vu arriver, demain, parce qu'il est arrivé trop tard. Je dormais déjà dans mon lit. C'est de valeur. J'ai pas pu mettre mes bottines. Quand je me suis réveillée, il y avait plein de chansons dans le jardin. Je me suis levée, hop, et je suis allée dans la cuisine. « Bonne fête, Charlotte ! »

Toute la journée ça va être ma fête. Je sais pas vraiment ce que je veux faire. Oui, je sais. Je veux aller voir le bébé de ma voisine serviable et le prendre dans mes bras et le bercer et le pousser. Parce que j'ai 6 ans ! Je suis assez grande pour tout faire sauf, encore, ouvrir notre porte. C'est trop difficile pour mes mains qui ont comme encore 5 ans !

Maman a dit oui et je suis partie. Ça a été ma première surprise de fête. Il faisait tellement chaud, il y avait tellement plus de neige que maman a dit : « Veux-tu me dire pourquoi tu mets un manteau ? Aujourd'hui il va faire quatre-vingts ! » Je sais pas trop ce que c'est quatre-vingts, mais je suis sortie sans bottes, sans claques et sans manteau ! J'avais pas encore ma jupe de fête noire en taffetas avec ma blouse de fête blanche avec des manches courtes et poffées. J'avais pas encore mes souliers neufs qui craquent pour Pâques et pour ma fête, et ma queue de cheval frisée avec un ruban neuf brillant et blanc. Non, j'avais juste mon linge pour jouer. C'est ce soir que je vais avoir la fête de ma fête.

Ma voisine serviable m'a demandé de l'aider. Je tenais la bouteille du bébé pendant qu'elle tenait le bébé sur son épaule en lui tapotant le dos. J'ai eu mal au cœur parce que le bébé a ré-gur-gi-té – un autre grand mot – et ça sentait encore pire que le lait caillé du vendeur de campagne. J'allais jouer avec René quand elle m'a offert de l'aider à changer la couche. Que j'ai grandi depuis hier !

Quand j'ai vu le petit cornichon sucré et la patate écrasée un peu plus grosse qu'un grelot, j'ai pensé faire 5 ans et j'ai dit : « C'est quoi, ça ? » La voisine m'a regardée en disant : « C'est ce que t'as pas. » Je le savais déjà et j'ai dit : « Pourquoi ? » Elle a soupiré un coup et répondu : « Mets la poudre. » J'ai poudré longtemps pour bien regarder le cornichon. « Pour le reste, demande à ta mère. » J'aurais aimé qu'elle me dise à quel âge je pourrais commencer à demander à ma mère. En tout cas, elle a pas compris que j'avais déjà vu ça, un petit cornichon sucré.

Il faisait tellement chaud que j'ai promené mon bébé jusqu'à la nouvelle maison de Marianne. Maman m'a donné la permission. Je me suis arrêtée devant la maison des Horn et j'ai sonné. Swinnn… innnnnnnn. Personne a répondu. J'ai parlé dans le trou de la porte pour les lettres. Les Horn, eux, ils ont jamais eu de boîte aux lettres. Les chanceux. « C'est Charlotte ! C'est ma fête et ce soir je vais ouvrir ton cadeau. Allô ? Est-ce que t'es revenue, Mrs. Horn ? C'est Charlotte. J'ai mon bébé. »

J'ai regardé sous le paillasson et la clef était encore là ! Elle aussi les attendait. Je l'ai prise et mes mains ont été capables d'ouvrir ! Mes mains avaient grandi ! Je suis entrée. « Mrs. Horn ? Mr. Horn ? C'est Charlotte. » La maison était vide, vide, vide. Peut-être qu'il y avait des petites fées qui avaient remis le beau lit à ananas dans la chambre. Je suis montée. Rien. Les fées étaient pas passées. Tout à coup, pendant que j'étais en haut, j'ai entendu l'escalier craquer et des voix. J'ai presque eu peur qu'on vienne me chercher pour me disputer. J'ai écouté. Ça disait des choses comme « menoum, menoum, toc, menoum, toc. » Mr. Horn ! Mr. Horn s'était réveillé de la mort et rentrait à la maison. Il fallait que je lui dise que Mrs. Horn était partie avec sa chaise roulante, son parapluie et sa pipe. Il fallait que je lui dise que c'était ma fête et que j'avais 6 ans ! J'ai descendu l'escalier en me tenant à la rampe et la maison a commencé à swinnnner. J'ai ouvert la porte sans même regarder à travers la vitre tout égratignée en dessins de fleurs. Deux monsieurs étaient là en se tenant par le bras.

« Allô, vous êtes qui ?

— Bonjour, est-ce que ta maman est là ? Je suis certain qu'elle a besoin de brosses Fuller, et de balais Fuller et de sent-bon pour ses tiroirs et ses armoires. »

Le monsieur avait des yeux ouverts et remplis de vide. L'autre monsieur lui tenait le bras d'une main, des balais et une valise remplie de brosses et de sent-bon de l'autre. J'ai même pas été capable de parler. Le monsieur aux vrais yeux a vu qu'il n'y avait plus rien dans la maison.

« Viens-t'en, Hector. On reviendra l'année prochaine. Bonne journée, la petite.

— C'est sûr qu'elle va être bonne. C'est ma fête.

— Bonne fête ! »

Ils ont descendu l'escalier et le monsieur aux yeux vides a marché en tenant un balai. Ils sont partis. « Menoum, menoum, toc du balai, menoum, toc. »

Non, la maison parlait plus. J'ai fermé la porte, barré et remis la clef en dessous du paillasson. Mr. Horn dormait mort encore et moi, j'avais un secret de plus.

En rentrant dans ma maison, j'ai vu que maman avait acheté un balai neuf !

« Qui t'a vendu ça, maman ?

— Le monsieur aveugle de Fuller. Comme d'habitude.

— Quelle habitude ? »

Elle a pas répondu. J'ai cherché et cherché l'habitude. Je lui ai redemandé de quelle habitude elle parlait.

« Tu l'as jamais vu ?

— Jamais.

— Ce doit être qu'il passait toujours pendant ton somme d'après-midi. »

Je savais pas, moi, qu'il pouvait se passer plein de choses pendant que je dormais. On peut tout manquer quand on dort. J'ai passé la journée à penser à ça et à soupirer. Bruno était chez le dentiste, Marianne, à la maternelle et Luce, chez le docteur. Comme toujours.

Là, il m'est arrivé une chose comme jamais depuis des mois. Je me suis endormie, à genoux sur mon fauteuil, pendant que je pensais à l'aveugle de Fuller. Quand je me suis réveillée, maman m'a dit que je pouvais me changer ! Mettre mon linge de fête. Qu'elle allait me peigner. Ma vraie fête était arrivée pendant que je dormais. Je pense que je peux plus faire confiance à mes dodos.

J'étais tellement belle avec mes tresses françaises que maman a pris des photos de moi, dehors. Avec mon carrosse et mon bébé dedans.

Quand j'ai eu mis mon linge propre, la journée a passé tellement vite que j'en ai la tête pleine de cloches. Tante Térésa hihi, mon oncle et ma tante qui enseigne aux Anglais, ma marraine et mon parrain, papa, maman et moi, on a fait la fête ! Toute une fête. J'ai pas eu de bicyclette. Papa et maman m'ont donné un matelas et un oreiller pour poupée, une taie d'oreiller et un couvre-lit pour poupée en tissu pareil. Maman avait cousu dans ma chambre pendant que moi, je dormais la nuit ! Mais là, j'ai pas été choquée par le mauvais tour de mon dodo.

Ma marraine m'a donné des petits pots de bébé au chocolat, ma tante, un livre qui dit les mots dans les deux langues. Papa va me le lire. Chat, *cat*. Chien, *dog*. J'ai fini en ouvrant le cadeau de Mrs. Horn. C'était quatre belles petites tasses et des petites soucoupes pour aller avec. Pas deux pareilles.

« Veux-tu me dire ce que tu lui as fait, à Mrs. Horn, pour qu'elle te gâte comme ça ? Ça vient de chez Birks !

— Rien. J'étais sa *honnie*. Sa *souite hat*. »

J'ai eu un gros gâteau, ils m'ont chanté *Bonne fête*, puis ma journée était finie. J'ai pas eu ma bicyclette et le père Noël a pas fait le message que je voulais des Minibrix. C'est pas grave parce que j'ai eu la permission de mettre mon carrosse avec mon bébé qui dormait sur son nouveau matelas à côté de mon lit.

Je me suis couchée tôt… et toute la ville est venue me fêter ! Dans ma chambre j'ai un nouveau store vé-ni-tien. C'est mieux que ma toile qui remonte tout le temps en roulant ma boule en roulant et en faisant beaucoup de bruit. Maintenant, quand une voiture passe dans la rue, j'ai des rayures qui courent sur le mur. Des fois, de gauche à droite. Des fois, de droite à gauche ! Ce soir, c'est la fête de mon mur.

Je vois se promener des rayures et des rayures. Tout à coup, il y en a des rouges. J'ai pas vu ça souvent. Ce doit être pour ma fête. Une rouge, deux rouges, trois rouges, une blanche, une rouge. Puis j'entends des sirènes. J'attends. Dans ma tête en fête, j'entends quelqu'un crier, j'entends quelqu'un pleurer. Maintenant on parle tellement fort que je peux pas dormir. Peut-être que tout le monde que je connais est devant ma maison pour me dire: « Surprise, Charlotte ! » Mais moi, je commence à penser que c'est pas pour ma fête du tout.

Je me lève et j'ouvre mon store. Personne devant ma fenêtre. Tout le monde court pour aller à la boîte aux lettres. Les grandes carottes, leur papa, Ali Baba, le ministre et sa femme, même mon voisin serviable court en même temps que le papa patapouf booing. Je sais pas si mes parents ont couru aussi.

Je sors de ma chambre. « Maman ? » Je vais dans la cuisine. « Maman ? » Elle est nulle part. Je monte sur mon fauteuil et je la vois devant la fenêtre, les bras croisés et elle regarde vers la boîte aux lettres. Je sors sans mes pantoufles et je vais la rejoindre. « Qu'est-ce qui se passe, maman ? » Maman pleure, un mouchoir en boule dans sa main. Comme Mrs. Horn. « Va dans la maison, ma Charlotte. Va te recoucher. » Moi, je dis non de la tête et j'avance sur le trottoir.

« C'est pas la boîte aux lettres, c'est le tramway !

— Oui, c'est le tramway qui a eu un accident. Je te raconterai ça demain.

— Tu pleures à cause du tramway.

— Je pleure pas. J'ai eu une poussière dans l'œil. Va te recoucher. »

Mon trou entre le cœur et le nombril entendait pas les mêmes mots. Mon trou avait peur et je savais pas pourquoi. Maman pleurait, je l'ai vu. J'ai sorti mon manteau-toutou de la housse pour les coussins, je lui ai mis mes bottines aux poignets et on s'est recouchés, tous les deux ensemble.

Quand je me suis levée, papa et maman étaient assis dans la cuisine, tout habillés comme hier. Je pense qu'ils ont pas dormi. Maman pleurait encore et papa faisait tout pour être un homme qui pleure pas.

« Oh, ma Charlotte ! Viens t'asseoir avec moi dans le salon pendant que papa se change.

— Pourquoi, on est samedi ?

— Pour jardiner. Viens. »

Je vous l'ai dit. Nous, les enfants, on comprend quand il se passe quelque chose.

« Je veux pas. Je veux pas entendre ton histoire. Elle me fait déjà aussi peur que les ours et le gruau.

— Viens t'asseoir avec moi.

— Attends une minute, maman. »

Je suis revenue dans le salon avec mon manteau-toutou et mes bottines dans les pieds. Maman a rien dit. On s'est collées, collées. On fait jamais ça, se coller, coller, même si maman est plus chaude que mes toutous. Les nouvelles pour ma Luce étaient belles.

« Le médecin lui a dit qu'elle pouvait commencer l'école. En même temps que toi.

— Son cœur a grandi ?

— Si tu veux. Son cœur est pas comme le tien. Il a mal toqué depuis qu'elle était bébé. Jusqu'à maintenant. »

Maman me faisait peur. Elle me disait une bonne nouvelle et elle cessait pas de s'essuyer les yeux. Et j'entendais papa se moucher dans sa chambre. C'est pas normal. J'aime pas ça quand les yeux bleus de maman flottent dans le rouge mouillé.

« Je veux pas savoir, maman.

— Chuuut, ma Charlotte.

— Je veux pas savoir, maman.

— Te souviens-tu de ce qu'elle voulait le plus au monde ?

— Elle le veut plus ? Elle veut plus courir et sauter et jouer à la marelle et avoir une bicyclette ? »

Maman a sorti un autre mouchoir de sa poche de tablier et s'est mouchée deux fois. Ensuite elle m'a serrée encore plus fort dans ses bras.

« Elle a pas été chanceuse, hier.

— Je trouve qu'elle a jamais été chanceuse, mon amie de pluie.

— Tu as raison, jamais. En revenant de chez le médecin, elle a pris la bicyclette de sa sœur et, en deux temps trois mouvements, elle a appris à rouler.

— C'est parce qu'elle est une princesse de contes de fée. Elle devait déjà savoir comment faire.

— La roue s'est coincée dans le rail, Luce est tombée et, au même moment, le tramway a tourné le coin. Il avait même pas eu besoin de faire monter ou descendre des gens. Quand c'est le Vendredi saint, il y a beaucoup de personnes qui prennent leur après-midi pour aller à l'église. »

Ce que je comprends, moi, c'est qu'il a tourné et il a vu les yeux verts morts de peur de mon amie Luce. C'est sûr.

«Le tramway a pas eu le temps d'arrêter, maman?

— Non.

— Et Luce a vraiment pas eu le temps de se relever et de se sauver?

— Non.

— Maman!» Je me suis bouché les oreilles et j'ai fermé les yeux.

Luce a juste eu le temps d'avoir peur de se faire disputer parce qu'elle avait brisé la bicyclette de sa sœur. En tout cas, c'est ce que moi j'aurais pensé, si j'avais été une princesse et que j'avais vu un gros dragon noir qui faisait du feu sauter sur moi.

«Est-ce qu'elle est endormie morte pour toujours?

— Oui.

— Je la reverrai jamais?

— Non.»

Ma plus belle amie, mon amie belle comme une princesse s'est endormie morte. Le jour de mes 6 ans. Même si j'ai 6 ans, je comprends pas trop les mots qu'on peut pas voir.

«À quoi ça ressemble, toujours ou jamais, maman? Un chat c'est un chat, un chien c'est un chien. Si je veux dessiner toujours ou jamais, je dessine quoi, moi?

— Quand tu veux dire que tu aimes quelqu'un ou quelque chose, tu dessines quoi ?

— Un cœur ou je fais des X.

— Si tu faisais un dessin et que tu voulais dessiner Luce, tu dessinerais quoi ? »

J'ai longtemps réfléchi à ça.

« Une princesse sirène avec sa queue de poisson et des ailes. Sur un nuage à côté d'un voilier dans le ciel. Et plein de cœurs tout autour qui volent comme des oiseaux.

— Tu comprends, Charlotte, c'est ta façon de dire que tu peux l'imaginer.

— Je sais toujours pas où c'est "toujours".

— Moi non plus, Charlotte, moi non plus.

— Est-ce qu'elle est avec Mr. Horn ?

— Je sais pas, peut-être... »

J'ai dit à maman que je voulais voir. Elle m'a dit qu'il y avait rien à voir. J'ai dit que je voulais y aller quand même. Je l'ai fait. J'ai vu plein de miettes de mon amie ! Partout ! Je suis rentrée à la course en pleurant et je me suis cachée dans la dépense. Mon vide était tellement plein de peine que je pense que je l'ai régurgité pendant toute la journée.

Papa et maman avaient pas dormi de la nuit d'avant... Moi, c'est la nuit d'après que j'ai pas dormi. Je me suis levée et j'ai remis mon manteau-toutou dans la housse pour les coussins. J'ai enlevé mes bottines et je les ai jetées dans la poubelle. Pour vrai. J'ai mis plein d'ordures par-dessus pour plus les revoir.

Je sais pas si Luce, elle, me voit, mais j'ai sorti mon cahier à peinture à l'eau, même si c'est la nuit, et je fais une page pour elle et une page pour moi. Si je continue de jouer avec elle et de penser à elle et de rêver à elle et de parler d'elle, elle sera jamais morte. En tout cas, moi, je l'oublierai jamais. Compte sur moi, Luce. Je vais même apprendre pour toi à l'école. Et si tu veux, je peux porter ton sac parce que je sais que tu vas vouloir courir et courir et courir après le petit papillon qui s'est pris pour une feuille morte. Je suis quand même contente qu'on te mette dans la terre. Comme ça, elle va se souvenir de toi.

Depuis que je parle à mon amie de pluie tous les soirs et que je lui laisse un petit coin sur l'oreiller, j'ai plus jamais revu mon bateau et mon capitaine. Il doit être resté au fond des chutes du Niangora, parce que c'était trop beau.

Achevé d'écrire le 5 mai 2008 à 17 h 32
et le 24 juin 2008 à 14 h 01.

Cet ouvrage a été composé en Times 13/16
et achevé d’imprimer en septembre 2008 sur les presses de
Quebecor World Saint-Romuald, Canada.

Imprimé sur du papier Quebecor Enviro 100 % postconsommation,
traité sans chlore, accrédité Éco-Logo et fait à partir de biogaz.

certifié

procédé sans chlore

100 % post-consommation

archives permanentes

énergie biogaz